CROYANCES ET SUPERSTITIONS

Laurent-Olivier David

Croyances et superstitions

Un journal français disait dernièrement que, depuis la guerre, le spiritisme avait fait des progrès considérables en France, et que jamais on n'avait autant cherché à sonder les mystères de l'autre monde, à se mettre en relation avec les esprits de ce monde. Il est naturel, disait-il, qu'il en soit ainsi. Les pères les mères, les épouses et les fiancées qui ont perdu des êtres aimés ne peuvent renoncer à l'idée de ne plus les voir et leur parler, et ils croient volontiers les médiums qui s'engagent à les mettre en communication avec ceux dont ils regrettent d'être séparés. Aussi, lorsque des hommes éminents comme sir Oliver Dodge et Conan Doyle proclament à haute voix devant des auditoires nombreux leur foi au spiritisme et affirment qu'ils conversent avec les esprits des défunts, ils sont crus par un grand nombre.

Il fut un temps où, ici comme ailleurs, les tables tournantes faisaient tourner bien des têtes, où on prétendait se mettre, par leur entremise, en communication avec l'autre monde et converser avec les esprits des hommes les plus célèbres. Ce fut une véritable folie et les pauvres morts n'eurent plus un instant de repos ; à tous moments on les appelait pour leur poser les questions les plus extravagantes, auxquelles on leur demandait de répondre en faisant frapper un certain nombre de fois les pieds des tables qui ne cessaient de tourner et de frapper du pied les planchers. Mais les esprits appelés n'étaient pas toujours fins ou de bonne humeur et donnaient souvent des réponses qui ne leur faisaient pas honneur.

Il vint un moment où les autorités religieuses jugèrent nécessaire d'intervenir et de condamner une manie qui troublait les esprits des vivants plus encore que ceux des morts et donnait lieu à toutes sortes de commentaires et d'opinions plus ou moins erronés et dangereux. Parmi les lettres pastorales émises à ce sujet par les évêques de France et d'Amérique, l'une des plus remarquables fut celle de Mgr Bourget, qui eut un grand retentissement. L'intervention ecclésiastique eut pour effet d'empêcher les tables de tourner davantage et de rendre la paix aux esprits des morts et des vivants.

Mais le spiritisme n'était pas mort et l'évocation des esprits est plus que jamais en vogue, grâce aux déclarations d'hommes dont les opinions ont généralement de la valeur. On ne fait plus tourner les tables, mais on s'adresse à des médiums qui prétendent avoir la vertu de faire parler les morts. Je connais une dame, une Anglaise du grand monde, qui, tous les mois, partait du Canada pour aller à New-York, converser, par l'entremise d'un médium, avec son défunt mari, et qui assurait que ces conversations la consolaient et lui étaient très utiles. Et c'était une femme très intelligente, une vraie dame estimée de tous ceux qui la connaissaient.

Pourtant, les preuves de supercherie, de duperie n'ont pas manqué ; il a été établi que les paroles attribuées à des morts célèbres étaient les paroles des médiums, et on a dit avec raison que ces morts illustres ont dû être parfois humiliés et avoir envie de protester contre la façon dont on les faisait parler, en supposant toutefois qu'ils eussent connaissance de ce qui se passait sur la terre.

On peut dire que le spiritisme est vieux comme le monde ; dans plusieurs pays on croyait que les magiciens avaient le pouvoir d'évoquer les esprits des morts. Après tout, on trouve dans la Bible le récit d'un cas d'évocation qui est de nature à justifier cette croyance. En effet, on y lit que Saül, à la veille d'une grande bataille, alla trouver un magicien et lui ordonna d'évoquer le prophète Samuel. Le magicien obéit et appela Samuel, qui apparut, et après avoir reproché à Saül de *troubler son repos*, il lui prédit que son armée serait détruite, qu'il perdrait sa couronne et qu'il serait lui-même tué. Il en fut ainsi : la prédiction de Samuel s'accomplit à la lettre.

Il faut donc en conclure que l'évocation des morts est possible. Un jour, je demandai à un prêtre instruit et doué d'un bon jugement ce qu'il pensait à ce sujet. Il alla chercher un livre écrit par un grand théologien, qui dit que Dieu a pu permettre l'apparition de Samuel à Saül afin de punir ce roi, mais que les paroles et les reproches du prophète démontrent que l'évocation des morts est un procédé condamnable. Il ajouta que l'univers est rempli de mauvais esprits qui se plaisent à tromper les hommes et que ce sont eux qui parfois répondent aux appels des magiciens et des médiums. Cette explication ne peut pas satisfaire tous les esprits. Toutefois il est certain que l'Église condamne une croyance qui engendre toute sorte d'abus, de duperies, de stratagèmes dangereux, et les résultats de cette croyance prouvent qu'elle a raison ; la connaissance des mystères de l'au-delà doit être limitée à ses enseignements.

L'attrait toutefois du merveilleux a toujours exercé une grande influence sur les hommes, spécialement sur les esprits portés à sortir du cours ordinaire des choses banales de la vie.

À part l'évocation des morts, il est des phénomènes bien dignes d'exercer leur curiosité, leur considération ; il est des faits dont la vérité ne peut être contestée. Par exemple, il est certain que les hommes peuvent s'emparer de l'esprit de leurs semblables, les soumettre complètement à leur volonté et les obliger de faire ce qu'ils veulent. Ceci me rappelle un fait assez intéressant. Un magnétiseur célèbre était venu à Montréal et on se rendait en foule dans la salle où il opérait. Il invitait quelques-unes des personnes présentes à monter sur l'estrade et à consentir à se laisser magnétiser, mais elles n'étaient pas de bonne humeur lorsqu'elles apprenaient qu'on les avait vues danser, nager et faire toute sorte de gestes et de mouvements plus ou moins ridicules. J'exerçais alors la profession d'avocat en société avec M. Longpré, un homme de talent, d'esprit et d'énergie. Il me dit : « Veux-tu parier que ce soir je monterai sur l'estrade et que Herman ne réussira pas à me faire faire tout ce qu'il voudra ». Je ne parierai pas, lui dis-je, car je serais sûr de gagner le pari. « Eh bien tu verras ». Le soir, il était dans la salle et lorsque Herman fit son appel ordinaire, il y répondit en montant sur l'estrade avec une dizaine de jeunes gens, et se soumit aux procédés ordinaires du magnétisme. Pendant que ses compagnons dansaient, nageaient et chantaient, Longpré tenait bon et résistait aux efforts que faisait Herman pour venir à bout de le dominer. La lutte fut intéressante, et on commençait à croire que Longpré l'emporterait lorsqu'on le vit commencer à faiblir et à finir par céder un peu à la pression exercée sur son esprit. Mais de ce conflit le magnétiseur et le magnétisé sortirent très fatigués, et Longpré dit qu'il ne recommencerait pas.

Comment expliquer ce phénomène ? Quel est le secret de cette influence étonnante exercée par certains hommes sur l'esprit et la volonté de leurs semblables ? Mystère ! Comment expliquer qu'un homme dont on a bandé les yeux et qu'on a même fait sortir de la salle de réunion afin qu'il ne puisse savoir ce qui s'y passe, aille, lorsqu'il revient, chercher un objet caché dans la poche d'une des personnes présentes ou traverse toute la salle pour aller donner la main à quelqu'un qu'il n'avait jamais vu ni connu, sans autre influence que la pensée et la volonté d'une personne quelconque faisant partie de l'auditoire et marchant derrière lui à une distance de plusieurs pieds. J'ai assisté à ces expériences et même c'est à moi que le fameux Ononfrof est venu une fois donner la main. Il fut, un jour, invité à faire ses merveilleuses démonstrations d'auto-suggestion devant une assemblée de médecins bien décidés à essayer de le prendre en défaut, mais en vain ils eurent recours à toute sorte d'expédients pour le tromper, Ononfrof les convainquit qu'il n'y avait pas dans ses expériences la moindre supercherie et qu'il obéissait à la pression exercée sur son esprit par une pensée forte et persistante.

Encore une fois, comment expliquer ces phénomènes étranges ?

Et la télépathie, comment nier et expliquer les faits nombreux qui en constatent l'existence ? Ils sont nombreux les gens de bonne foi et de sang-froid qui affirment avoir subi l'impression et avoir eu la connaissance de faits accomplis à une distance et dans des circonstances telles qu'ils ne pouvaient matériellement les connaître. Une dame appartenant à l'élite de notre société lisait un jour son journal, à côté de son mari. Soudain, elle paraît nerveuse et son mari lui demande la cause de son énervement. Elle hésite, disant que ce qu'elle voyait était sans doute l'effet d'une hallucination à laquelle il ne fallait attacher aucune importance. Mais son mari insistant à lui demander ce qu'elle voyait, elle lui dit qu'elle voyait mourir, dans une chambre dont elle fit la description, un homme qui l'avait beaucoup aimée lorsqu'elle était fille et avait voulu l'épouser. Le lendemain, son mari, revenant de son bureau, lui annonçait que son ancien ami était mort exactement dans le moment et à l'endroit où elle l'avait vu mourir.

Mais les faits de ce genre sont si nombreux qu'il serait trop long de les énumérer.

Non, impossible de nier les faits étranges de magnétisme, d'autosuggestion et de télépathie attestés de tout temps par des milliers de personnes. Cicéron lui-même, dans ses lettres, raconte un cas étonnant de télépathie. Ces manifestations sont dignes d'attirer l'attention du monde des savants et d'être l'objet de leurs investigations, mais le danger est d'en tirer des conclusions exagérées, des conséquences contraires à l'enseignement d'une saine philosophie, d'une raison sage et de la religion. Toutefois, il faut faire une distinction entre ces manifestations et les superstitions, les croyances insignifiantes ou ridicules dont notre monde est rempli, et qu'on trouve si souvent – chose étonnante – chez des hommes qui répudient toute croyance religieuse. Ce qui prouve que le besoin de croire au merveilleux, au surnaturel est nécessaire à l'homme, et que souvent, pour ne pas croire à des vérités que sa raison ne peut expliquer, il croit à des choses qui répugnent au bon sens.

Réforme du sénat

M. Denis, député de Joliette, propose de le rendre électif, et M. Fielding suggère que la moitié de ses membres soit nommée par le gouvernement fédéral et l'autre moitié par les divers gouvernements provinciaux, pour dix ans. M. Fielding dit qu'un sénat élu par les électeurs ne serait pas ce qu'il devrait être dans la pensée des auteurs de la Confédération, qu'il n'aurait pas l'indépendance requise pour remplir sa mission, qu'il ne serait en réalité que la doublure de la Chambre des Communes, sujet aux mêmes influences. Son système bien que préférable à celui de M. Denis offrirait plusieurs des mêmes inconvénients, des mêmes dangers.

Je dis dans un autre chapitre qu'afin de remplir sa mission efficacement, de rendre justice aux uns et aux autres, à tous les intérêts, à toutes les classes, il faut que le Sénat soit composé de façon à être indépendant. Or, une Chambre dont les membres seront élus tous les dix ans, ou nommés pour un temps limité, n'aurait pas l'indépendance requise pour jouer ce rôle bienfaisant.

Toutefois, il faut bien avouer qu'il serait opportun d'amender le système actuel de façon à empêcher que le Sénat soit composé en grande partie d'hommes appartenant au même parti politique.

C'est sous l'empire de cette idée que, en 1905, je proposai au Sénat que la moitié des membres de cette Chambre fût nommée à vie par le gouvernement fédéral et l'autre moitié par les divers gouvernements locaux, ou bien, un tiers par le gouvernement fédéral, un tiers par les gouvernements provinciaux et l'autre tiers par les grands corps de l'État, telles que les universités, les associations ouvrières, les Chambres de commerce et les diverses professions libérales. Mais des objections sérieuses me firent renoncer à la dernière proposition, bien que je la trouve encore digne de considération.

L'un des défauts les plus critiqués du système actuel est qu'il nous donne un Sénat composé en grande partie d'hommes de même couleur politique. Eh bien la nomination d'un Sénat par le gouvernement fédéral et par les gouvernements locaux remédierait à ce défaut, car ces gouvernements sont rarement de la même couleur politique, et, elle assurerait aux provinces et aux minorités la protection que les auteurs de la Confédération avaient en vue en l'établissant.

Cartier disait souvent que dans un Sénat composé de 72 membres dont vingt-quatre pour Ontario, vingt-quatre pour les provinces maritimes et vingt-quatre pour notre province, nous serions représentés par un tiers de ses membres et que pouvant toujours compter sur les sympathies de quelques-uns des hommes composant les deux autres tiers, nos droits et nos sentiments y seraient respectés. Malheureusement, notre représentation au Sénat comme à la Chambre des Communes est descendue du tiers au quart et elle descendra encore avec l'accroissement de la population du Nord-Ouest.

Toutefois, un Sénat composé comme il est dit plus haut offrirait aux intérêts provinciaux et sociaux et aux minorités une protection qu'on trouverait difficilement aux Communes, et son niveau intellectuel serait certainement élevé, car les provinces auraient à cœur de s'y faire représenter par les hommes les plus capables de les protéger, de défendre leurs droits et leur autonomie. Il y aurait entre le gouvernement fédéral et les gouvernements provinciaux une émulation qui ne pourrait manquer de produire les meilleurs résultats.

Maintenant, fermiers et ouvriers ne doivent pas oublier que pour être élus au Sénat d'après le projet de M. Denis, ils seraient obligés de se porter candidats dans de grands districts électoraux où l'élection coûterait cher, et que des hommes de grande capacité mais pauvres pourraient difficilement accepter une nomination pour dix ans seulement selon le projet de M. Fielding.

Ajoutons que des sénateurs élus tous les dix ans, comme le suggère M. Denis, ne pourraient être indépendants des membres de la Chambre des Communes dont ils auraient besoin pour se faire élire ou réélire, et ceux nommés pour dix ans ne seraient pas indépendants du gouvernement auquel ils voudraient être agréables afin de se faire nommer pour dix autres années. Le fait est que la conclusion logique et pratique du discours de M. Fielding aurait dû être la nomination à vie des sénateurs.

Donc, de toutes les réformes proposées, celle qui offrirait le moins d'inconvénients et le plus de garanties à tous les intérêts, à toutes les classes de notre société, est celle qui ferait nommer à vie la moitié des sénateurs par le gouvernement fédéral et l'autre moitié par les gouvernements provinciaux.

Afin d'assurer l'efficacité des travaux du Sénat, d'autres réformes ont été proposées. Par exemple, on demande que le gouvernement y soit représenté par deux ou trois de ses membres, afin d'y initier des projets de loi importants et d'empêcher qu'on lui impose, dans les derniers jours de la session un travail onéreux qu'il est obligé de faire à la hâte. Ne pourrait-il pas être stipulé que, dans ce cas, ces ministres pourraient ou devraient aller à la Chambre des Communes expliquer et défendre ces projets de loi lorsqu'ils auraient été adoptés par le Sénat.

Mais ce qu'il faut avant tout éviter, c'est un Sénat élu ou nommé pour un temps limité. Autrefois ces deux systèmes auraient pu être adoptés sans trop de danger, mais à notre époque où la politique de classes et de groupes joue un si grand rôle, ils produiraient des résultats regrettables.

M. Denis a fait un excellent discours à l'appui de son projet, mais il n'en a pas naturellement fait voir les inconvénients et les dangers ; il a dénoncé habilement des défauts du système actuel, mais son remède serait pire que le mal et produirait des résultats funestes au pays en général, à la province de Québec particulièrement.

L'esprit public

On dit souvent d'un homme qu'il manque d'esprit public. Cela veut dire que cet homme est indifférent à tout ce qui concerne les intérêts sociaux et politiques du pays. C'est souvent un bon père de famille, un citoyen respectable, un bon chrétien même, mais l'honneur ou le bien-être du pays ne lui disent rien et le laissent froid. Dans les élections législatives ou municipales, il ne se donnera pas toujours la peine de voter, ou, s'il vote, ce sera sous l'empire de motifs personnels, pour obliger un ami ou être agréable à la classe dont il fait partie, sans se soucier si celui pour qui il vote est le plus capable de rendre des services à son pays, de faire honneur à ses concitoyens. Souvent il mettra de côté un homme doué de toutes les qualités requises pour devenir un homme d'État éminent et lui préférera un candidat dont le rôle dans le Parlement sera absolument nul, inutile au pays et même à la classe qui l'a élu. Cela explique pourquoi nos villes ont été si souvent représentées par des hommes inférieurs aux députés de la campagne. On a vu des hommes, des avocats qui avaient rendu les plus grands services à la classe ouvrière, répudiés au profit d'hommes incapables de proposer ou de faire adopter la moindre loi destinée à améliorer son sort.

Inutile de dire que le manque d'esprit public se manifeste dans les rangs élevés de la société, chez les hommes publics, comme dans les autres sphères, les autres classes. Il est la cause de l'indifférence avec laquelle on voit commettre tant d'abus nuisibles à l'honneur et à l'intérêt du pays. Si tant d'hommes publics, ministres, députés ou échevins comprennent si peu les devoirs que leur impose leur situation ; si l'intérêt public est leur moindre souci et si les citoyens excusent si facilement les abus, les fautes les plus graves, c'est qu'ils n'ont pas l'esprit public.

On dirait, parfois, qu'il existe dans notre monde politique deux consciences, l'une pour la vie privée et l'autre pour la vie publique. C'est pourquoi certaines personnes croient et disent même que voler le gouvernement n'est pas un mal, pas un péché surtout. Plus d'une fois j'ai entendu certains personnages éminents dire que la morale en politique est large, libérale, qu'elle permet de faire des choses que la morale privée réprouve. Avec des principes aussi larges tout est possible ; on peut commettre ou excuser les abus les plus graves, les plus démoralisants, les plus funestes à la société.

Ce n'était pas la façon de penser et d'agir de nos hommes politiques d'autrefois, de ceux dont on aime tant à rappeler le souvenir glorieux.

C'est l'esprit public qui animait les Taschereau, les Blanchet et les Bédard, lorsqu'ils fondaient le *Canadien* afin de combattre au péril de leur liberté et de leurs biens la politique tyrannique du gouverneur Craig. C'est le même esprit qui poussa les Patriotes de 1837 à tout sacrifier ; tout jusqu'à leur vie, pour conquérir la liberté. C'est lui qui inspira les hommes de 1840, les LaFontaine, les Morin et les Baldwin, lorsqu'ils réussirent à faire la conquête du gouvernement responsable. C'est lui qui inspira Cartier, lorsqu'à Londres, il menaça de revenir au Canada et de soulever le Bas-Canada, si on transformait le projet de Confédération en union législative. C'est lui qui incita Laurier, à Londres, à refuser les titres les plus séduisants et l'honneur de siéger dans la Chambre des Lords, afin de rester plus libre, de servir avant tout les intérêts du Canada.

Je pourrais citer un bon nombre de circonstances où l'esprit public a inspiré à nos hommes publics ainsi qu'à notre population une honorable et glorieuse indépendance. Seulement l'esprit public et l'esprit national se confondent souvent et on ne sait parfois auquel attribuer la prépondérance dans les motifs qui font agir les hommes. Souvent même, on peut se demander si le sentiment national et l'esprit de parti n'ont pas eu plus d'influence que l'esprit public sur leur conduite.

Il faut bien avouer que, dans la plupart des cas où la population canadienne-française s'est affirmée avec énergie, en s'élevant même au-dessus de l'esprit de parti et en résistant aux influences les plus puissantes, elle était mue spécialement par le sentiment national.

Le sentiment national et le sentiment religieux jouent un grand rôle dans la vie de notre population ; on ne les invoque jamais en vain ; mais plus ils sont vifs et puissants, plus ils sont susceptibles d'être exploités au profit d'hommes ou d'intérêts plus ou moins recommandables. À nôtre époque, dans les provinces anglaises spécialement, l'esprit public, l'esprit de parti et le sentiment national sont plus ou moins dominés par des intérêts et des affections de classes, de groupes. On a raison de se demander si cette nouvelle orientation ne sera pas préjudiciable au bon fonctionnement de nos institutions politiques, au bien public en général.

En tous cas, pour qu'un pays ou une ville soient bien administrés, il faut que l'électeur et l'élu soient en garde contre les influences néfastes qui peuvent les empêcher de faire leur devoir : il faut que l'intérêt public soit le principe moteur de leur conduite. Il faut que l'électeur sache faire la différence entre le flatteur, l'intrigant et le candidat honnête et sérieux qui dédaigne de faire appel aux préjugés du peuple et n'a d'autre ambition que de servir son pays. À cause du fractionnement de l'opinion publique en groupes, et du résultat des lois nouvelles qui, ici comme ailleurs, tendent à augmenter sans cesse la quantité plutôt que la qualité des électeurs, à noyer l'élément le plus capable de donner un vote intelligent et indépendant, le choix des représentants du peuple dans les parlements devient de plus en plus difficile. On verra avant longtemps les résultats déplorables de l'extension illimitée et indiscrète du suffrage universel ; les listes électorales seront chargées de votants qui ne voteront pas ou voteront mal ; les élections coûteront beaucoup plus cher, et la valeur de la représentation sera diminuée.

« Comment résister, me disait un homme éminent, au mouvement qui, dans le monde entier, oriente les peuples dans cette direction ; il n'y a qu'un moyen d'éloigner ces résultats redoutables, c'est de former l'esprit public, d'instruire les masses, de leur inculquer le sentiment du devoir, le souci patriotique du bonheur de la société et des intérêts généraux du pays. » Si l'esprit public, l'esprit national et l'esprit chrétien inspiraient tous les actes de la population en général, la société serait parfaite, et les maux dont elle souffre disparaîtraient ou seraient au moins bien amoindris. Malheureusement l'amour exagéré de la fortune, des honneurs, des jouissances de la vie, du pouvoir pour soi et les siens, pour la classe à laquelle on appartient, l'emportent sur toute autre considération, engendrent l'égoïsme dans toutes les sphères de la société, poussent les riches à s'enrichir davantage, les ambitieux à parvenir par n'importe quels moyens, et suscitent chez les pauvres et les ouvriers l'esprit de révolte.

Nous avons depuis quelque temps un exemple frappant du manque d'esprit public dans notre pays. En face du mal que nous fait l'importation au Canada des produits américains, les hommes publics sollicitent notre population de se faire un devoir d'acheter le plus possible les produits du pays. Combien se soumettent à ces conseils patriotiques ? Combien dans l'intérêt public, renoncent à leurs caprices, à leurs fantaisies ou se refusent la moindre satisfaction ?

Ceux qui ont à cœur le bonheur de la société et l'avenir de leur pays, doivent tout faire pour inculquer à l'homme, dès son bas âge, l'esprit public et les sentiments religieux et nationaux qui devront inspirer et diriger tous les actes de sa vie.

Aussi, il est bon, nécessaire, de donner souvent, comme exemples à notre jeunesse, les actes de dévouement et d'héroïsme des Dollard, des Maisonneuve, des LeMoyne, des fondateurs de notre nationalité et de tous les grands patriotes qui ont illustré notre histoire. Plus que jamais, à une époque où l'égoïsme et le matérialisme jouent un si grand rôle dans le monde, il est bon de rappeler combien étaient nobles les motifs et les sentiments qui faisaient agir nos ancêtres. Et quoi qu'en disent certains esprits malins et revêches, nos fêtes nationales destinées à célébrer leur souvenir et leurs grandes actions, ne peuvent que produire les meilleurs résultats et démontrer que dans l'intérêt général du Canada, nous avons bien raison d'être fiers d'eux et de recommander à nos compatriotes d'imiter l'esprit public, national et chrétien qui les animait.

Les lettres de Cicéron

Il n'y a pas de doute que l'antiquité ne connaissait pas les merveilles de la vapeur, de l'électricité, de toutes les découvertes et inventions scientifiques et industrielles qui ont si grandement modifié les conditions de l'existence humaine. Le bateau et le char à vapeur y étaient inconnus ; elle manquait de tout ce qui constitue le confort humain ; ce qui faisait dire à Laurier que la vie valait maintenant cent pour cent de plus qu'autrefois. Mais il est un domaine où elle n'était pas inférieure à notre temps : c'est celui des Lettres et des Beaux-Arts, où elle a produit des chefs-d'œuvre que nos poètes et nos artistes n'ont pas surpassés, qu'ils sont même heureux d'étudier et d'imiter. La Grèce et la Rome antiques offrent à notre admiration des poètes, des philosophes, des peintres, des sculpteurs, des orateurs dont les œuvres n'ont cessé d'être des modèles depuis des siècles pour tous les peuples de la terre.

On se demande quelquefois quel effet la connaissance des découvertes modernes aurait produit sur la mentalité de leurs grands hommes ; aurait-elle, en leur ouvrant de plus vastes horizons, agrandi le cercle de leurs pensées, et donné à leur esprit plus d'envergure ? Il est certain que dans certaines sphères du monde intellectuel, ces connaissances auraient activé et fécondé leur intelligence. Mais en ce qui regarde simplement les œuvres d'imagination et de sentiment et la façon d'exprimer ce qu'ils pensaient et ressentaient, c'est différent ; les poètes, les peintres et les sculpteurs de l'antiquité n'ont pas été surpassés. Le cerveau et le cœur sont toujours les mêmes : les sources fécondes et immortelles des pensées et des sentiments de l'homme, de ses bons et de ses mauvais instincts, de ses bonnes ou mauvaises actions. Aussi, lorsqu'on lit les livres des anciens on y trouve toujours l'homme, avec ses vices et ses vertus, ses beautés et ses laideurs.

Ce sont les réflexions que je faisais en lisant les lettres de Cicéron et de Pline le Jeune, deux des plus grands esprits de l'antiquité. Sauf certaines opinions religieuses et morales que nous ne pouvons pas accepter, ces lettres sont vraiment l'expression des sentiments des hommes bien pensants de notre temps. On dirait même qu'ils apprécient mieux que nous les devoirs et les bienfaits de l'amitié. Il faut dire qu'ils vivaient, Cicéron spécialement, à une époque où ils avaient besoin d'amis pour se protéger contre les ennemis puissants qui menaçaient sans cesse leur vie et leurs biens. Ce Cicéron dont l'éloquence n'a jamais été surpassée, on connaît ses immortels plaidoyers contre Catilina, contre Verrès et pour Milon ; depuis dix-neuf siècles on les étudie, on les commente, on en fait voir les beautés dans tous les collèges, dans toutes les maisons d'éducation, et on les donne comme modèles d'éloquence. On connaît moins ses lettres, mais l'art de bien dire y est aussi remarquable et les sentiments qu'il y exprime admirables. Par exemple, quoi de plus beau que ses lettres sur l'amitié et le vieil âge ? Quelle connaissance de la nature humaine, du cœur de l'homme, de ses aspirations, de ses besoins ! Pour faire apprécier sa lettre sur l'amitié il faudrait la publier en entier, mais elle est connue généralement de ceux qui ont fait des cours d'étude. Je ne puis en détacher que les passages suivants :

« Que vaudrait la vie, comme le dit Ennius, sans les puissances d'une amitié mutuelle ? Quoi de plus précieux qu'un ami à qui vous pouvez tout dire comme à vous-même ? Le bonheur que vous ne pouvez pas partager avec un ami ne perd-il pas la moitié de sa valeur ? D'un autre côté, l'infortune serait difficile à supporter si personne n'éprouvait autant et même plus que vous, les sentiments qui vous font souffrir... Dans un véritable ami l'homme voit un autre soi-même... Si son ami est riche, il n'est pas lui-même pauvre, s'il est faible, la force de son ami le fortifie, et lorsqu'il meurt, la vie de son ami lui donne une seconde vie... Tel est l'effet du respect, de l'affection et des regrets des amis qui nous accompagnent jusqu'au tombeau. »

Cicéron s'efforce ensuite d'établir que l'amitié doit être dévouée, désintéressée, capable de produire des actes héroïques et qu'elle ne peut exister dans toute sa plénitude qu'entre gens vertueux. Il donne des exemples de ce qu'une amitié sincère a produit d'actions honorables et glorieuses et du soin que prennent les hommes qui veulent gouverner leurs semblables de s'entourer d'amis dévoués.

En lisant cela je n'ai pu m'empêcher de penser à ceux qui dans notre province ont eu la plus grande influence sur les hommes de leur temps et spécialement aux Laurier, aux Chapleau et aux Mercier et j'ai reconnu le bien fondé des assertions de Cicéron. Jamais hommes politiques ne surent mieux se faire des amis. Laurier spécialement que sa nature bienveillante faisait si facilement aimer.

Mais Cicéron ajoute qu'en politique l'amitié est fragile, inconstante, dans l'infortune spécialement lorsqu'elle vient en conflit avec l'intérêt personnel. Rien de plus vrai aujourd'hui comme au temps de Cicéron.

Ce que Cicéron dit du vieil âge, de ce qu'il a de bon et d'utile à l'individu comme à la société n'est pas moins admirable. Avec quelle chaleur il parle des œuvres littéraires et historiques des grands Romains de son temps et des services que l'expérience des vieillards a de tous les temps et dans tous les pays rendus à leurs semblables ! Lorsqu'il démontre qu'une longue et heureuse vieillesse est généralement la récompense d'une vie sage, vertueuse et laborieuse, on croirait entendre les grands chrétiens de notre temps.

Mais ce qui domine dans les lettres de Cicéron et de Pline, ce n'est pas le sentiment religieux, non ; c'est l'amour de la gloire, de l'estime publique, le désir de se faire un nom, de mériter la louange de ses semblables, et d'être heureux dans ce monde. Les choses de la vie future, le bonheur et le malheur dans un autre monde ne paraissent pas avoir beaucoup d'effet sur leur esprit. Lorsqu'ils parlent de vertu, de patriotisme, et de bonté, du devoir envers ses semblables, c'est avant tout du point de vue purement humain. Et même ce que Cicéron dit avec tant d'éloquence de l'immortalité de l'âme semble spécialement inspiré par la crainte de perdre les jouissances intellectuelles et les hommages que son génie lui procurait sur la terre et par le désir de revoir dans un autre monde les êtres qu'il a aimés. Mais avec quelle beauté de pensée et d'expression, il exprime ses sentiments sur ce sujet !

Après avoir dit que les deux Scipion, les Caton et les grands Romains qui se sont immortalisés ne se seraient pas donné tant de peine et n'auraient pas accompli des choses si glorieuses s'ils avaient pensé que leur gloire finirait avec leur vie, il termine sa dissertation sur ce sujet en disant : « Je ne veux pas, à l'exemple de certains philosophes, mépriser la vie, et je ne regrette pas d'avoir vécu, car j'ai raison de croire que je n'ai pas vécu en vain, mais je quitterai la vie comme je quitterais un hôtel et non pas une demeure, une résidence...

« Ô jour glorieux lorsque je partirai pour l'assemblée céleste des âmes et serai délivré des agitations et des impuretés de ce monde !

Car je n'irai pas seulement rejoindre ceux que j'ai déjà nommés, mais aussi mon fils Caton d'une piété si remarquable, et dont je puis dire qu'il n'y eut jamais un meilleur homme. J'ai pu supporter mon affliction par la pensée que notre séparation ne serait pas longue. Si j'ai tort de croire à l'immortalité de l'âme, je suis heureux de continuer à vivre dans une erreur qui me procure tant de satis-faction. »

J'ai dit que Cicéron donnait comme exemples de vieillesse active, vigoureuse et utile plusieurs des Romains célèbres de son temps. Il ne s'est pas oublié ; il dit que son âge avancé ne l'empêche pas de se livrer à un travail ardu et utile à ses semblables. Ces observations m'ont fait penser à ceux de mes compatriotes dont la vieillesse a été vigoureuse et laborieuse, et qui ont conservé jusqu'au dernier moment leur force physique et intellectuelle. Malheureusement la plupart de mes contemporains sont morts avant d'avoir donné toute la mesure de leur talent. Nommons-en plusieurs : Mercier, Chapleau, Siméon Morin, Lusignan, Marmette, Buies, Évariste Gélinas, Oscar Dunn, Cyrille Boucher, Montpetit, docteur Hubert Larue, Faucher de Saint-Maurice, Edmond Lareau, Alphonse Geoffrion et plusieurs autres. Ce fut une perte pour notre monde intellectuel, pour notre nationalité. Parmi ceux qui ont échappé au naufrage je suis heureux de nommer DeCelles, Sulte, Lacoste, Taillon. Laurier est disparu, mais il est mort à l'âge de 78 ans, en possession complète de ses facultés, en pleine activité intellectuelle. Au nombre des hommes qui, à un âge avancé, travaille comme ils le faisaient, il y a quarante et même cinquante ans, je dois mentionner le sénateur Béique.

Quant aux anciens qui ont illustré le nom canadien et dont la vieillesse a été vigoureuse, il faut mentionner les deux Papineau, le père et le fils, aussi grands l'un que l'autre, morts, le premier, à l'âge de 90 ans et le dernier à 85 ans ; Denis-Benjamin Viger, 86 ans ; de Gaspé, 85 ans ; l'historien Michel Bibaud, 75 ans ; Étienne Parent, le père du journalisme canadien, 73 ans ; Mgr Bourget, 86 ans ; Sir A.-A. Dorion ; le notaire Girouard, l'un des chefs patriotes de 1837 ; T.-A. Taché, journaliste ; M. de Boucherville, François Langelier, Napoléon Bourassa, littérateur et artiste, père de M. Henri Bourassa ; Jetté, Routhier et plusieurs autres. La plupart de ces hommes conservèrent jusqu'au dernier moment leurs facultés mentales.

Plusieurs de nos compatriotes les plus remarquables sont disparus à peu près au même âge : l'illustre historien Garneau et notre grand LaFontaine à l'âge de 57 ans, Cartier et Chapleau à 58 ans, Mercier à 55 ans.

Je regrette de dire que plusieurs de mes contemporains parmi ceux que j'ai nommés et d'autres dont je n'ai pas mentionné les noms, auraient pu vivre plus longtemps dans l'intérêt de la société s'ils n'avaient pas abusé de leur force, s'ils s'étaient crus obligés pour conserver leur santé, d'être plus prudents. Les luttes politiques, les élections, à une époque spécialement où elles étaient si ardentes, les communications si difficiles, et les écarts de régime si généraux, ont démoli bien des santés, et abrégé des vies précieuses.

Les forts ne se croient pas obligés comme les faibles de se gêner, de se priver, d'avoir recours à des soins plus ou moins ennuyeux. C'est vrai aujourd'hui comme au temps de Cicéron.

On a du plaisir à relire les lettres de Cicéron et en général les écrits des anciens, à un âge où on est plus capable d'en apprécier la philosophie et la valeur littéraire. On est surpris de trouver chez les païens portés à n'envisager que le côté humain des choses, des sentiments louables et des pensées saines qu'on ne trouve pas toujours chez les chrétiens de notre temps. Et puis quelle perfection dans l'art de dire !

P.S. – Depuis que ce qui précède a été écrit, Lacoste, Taillon et Sulte sont morts.

Lettres de Pline

Pline le Jeune était neveu de Pline l'Ancien, qui périt dans une éruption du Vésuve, victime de son dévouement à la science et à ses semblables. Doué de talents remarquables, il se livra dès son bas âge au culte de l'éloquence et des Lettres. À dix-sept ans, il composait une tragédie en grec, à dix-neuf ans, il plaidait devant les tribunaux. Il vécut sous trois empereurs et occupa les positions les plus importantes. Comme Cicéron il plaida la cause des opprimés contre des personnages puissants, quelquefois au péril de sa vie, et il aurait peut-être subi le triste sort du grand orateur romain, si Domitien, le cruel Domitien, n'était pas mort avant de se venger. Sous Nerva et Trajan, Pline fut traité en favori et occupa des positions qui lui permirent d'exercer les brillantes facultés de son esprit et les nobles qualités de son cœur. Nommé gouverneur de Bithynie, il remplit ses fonctions avec le plus grand zèle et une intégrité d'autant plus admirable qu'elle était rare à cette époque.

Sa correspondance avec l'empereur Trajan est celle de deux amis qui s'encouragent mutuellement à faire le bien, à rendre heureux les hommes soumis à leur administration. Comment se fait-il que des hommes si bienveillants, si justes généralement, aient pu tolérer, autoriser même la persécution cruelle des chrétiens ? Pline hésite, il est embarrassé, il ne sait que faire, il s'adresse à Trajan qui veut qu'on ne recherche pas les chrétiens, qu'on ne fasse pas de zèle pour les livrer à la justice, mais il ajoute que lorsqu'ils seront dénoncés, il faudra bien appliquer les lois qui les punissent. Ils semblent vouloir dégager leur responsabilité en la rejetant sur les auteurs de ces lois qui étaient cruelles, et déclaraient funeste à la sûreté de l'État, une religion qui refusait de reconnaître et d'adorer les dieux de Rome.

La raison d'État a été invoquée souvent depuis cette époque par des nations chrétiennes pour justifier des persécutions déplorables. Mais généralement les persécutés n'étaient pas aussi inoffensifs, aussi irréprochables que les premiers chrétiens qu'on accusait de s'assembler pour conspirer, lorsque c'était pour prier et s'exercer mutuellement à la vertu, au sacrifice.

Ce que les lois romaines châtiaient si sévèrement était le refus de sacrifier aux faux dieux, à des dieux que les Romains les plus instruits respectaient si peu et qui méritaient si peu de l'être surtout depuis qu'on décernait la divinité à des monstres comme Néron, Caligula, Domitien. Les empereurs considéraient que renier les dieux de Rome était par conséquent les renier eux-mêmes, puisqu'on les mettait au rang des dieux : c'était un crime de lèse-divinité.

Lorsqu'on lit l'histoire de ces empereurs, on se demande comment ce peuple romain si fier, si admirable sous la république, a pu descendre si bas, jusqu'à adorer des fous furieux. Comment ce sénat romain, si indépendant, a pu devenir l'esclave de ces monstres, le serviteur de leur politique aussi insensée que cruelle ; comment des hommes réputés sages ont pu adorer des dieux débauchés, impudiques et ivrognes comme Jupiter, Vénus et Bacchus.

Au milieu de sa dégradation générale, de la corruption universelle, d'une lâcheté illimitée, les chrétiens donnèrent l'exemple du courage, de l'héroïsme, de la vertu. Pendant quatre siècles ils résistèrent à la puissance romaine, refusèrent de plier le genou devant les idoles, devant les faux dieux de l'antiquité. Mais de combien de sang, de souffrances et de tortures ils payèrent leur courage !

Lorsqu'après avoir lu l'histoire des horreurs impériales, on lit celle des vertus, des dévouements et des souffrances des premiers chrétiens, on se sent moins humilié de faire partie de l'humanité ; la colère et la honte font place à l'admiration. L'humanité devrait plus que jamais reconnaître ce qu'elle doit au Christ et à ceux qui moururent pour propager ses enseignements.

Le christianisme qui a délivré l'humanité de la barbarie pourra seul encore la sauver, la préserver des dangers qui la menacent et l'affligent. Au milieu des théories erronées et pernicieuses qui en sapent les fondements, lui seul, au milieu des ténèbres qui l'aveuglent, lui seul pourra lui montrer la route qu'elle doit suivre, lui enseigner les principes qu'elle doit professer et pratiquer.

Ces réflexions viennent naturellement à l'esprit de ceux qui lisent les écrits des anciens, même des hommes les plus sages de l'antiquité qui valaient mieux souvent que leurs faux dieux. Les lumières et les enseignements du Christ auraient éclairé et fécondé leur génie, les auraient empêchés de professer ou de tolérer des théories erronées concernant la morale, le mariage, le divorce et les auraient rendus moins durs aux pauvres, aux malheureux, aux vaincus, aux prolétaires et aux ouvriers qui étaient généralement traités comme des esclaves.

Toutefois on ne peut, je le répète, s'empêcher d'admirer les sentiments et les idées exprimés par des hommes comme Cicéron et Pline, grâce aux dons naturels dont ils étaient doués et à une culture intellectuelle intense. Pline comme Cicéron écrit et parle à ses amis dans les termes les plus affectueux et lorsque l'un de ceux qu'il a aimés meurt, il ne cesse de faire l'éloge de ses vertus, de ses talents et d'exprimer les regrets que lui cause sa mort.

Voyons en quels termes touchants il parle de la mort de son ami Virginius Rufus, l'un des plus éminents Romains de ce temps, qui refusa la couronne impériale.

Après avoir parlé de la magnificence de ses funérailles et fait l'éloge de l'oraison funèbre prononcée par le grand historien Tacite, il ajouta :

« Il nous a quittés, plein d'années et de gloire, aussi illustre par les honneurs qu'il refusa que par ceux qu'il accepta. Nous le regretterons comme le modèle d'un autre âge ; je le regretterai spécialement non pas seulement parce que c'était un vrai patriote, mais encore parce qu'il était mon ami... Sa vie mortelle est finie, mais il vivra toujours dans la mémoire des hommes...

« J'avais beaucoup de choses à vous dire, mais je ne puis détacher ma pensée de Virginius ; je le vois constamment ; je lui parle et crois l'entendre lui-même parler. Il peut se trouver parmi nous, ses concitoyens, des hommes qui l'égalent en vertu, mais personne ne pourra atteindre la gloire dont il jouit... Adieu ! »

Parlant de la mort d'un autre de ses amis qui avait entrepris d'écrire l'histoire de tous ceux que l'infâme Néron avait bannis ou fait mourir, il disait :

« La mort est bien inopportune et regrettable lorsqu'elle frappe un homme en voie d'exécuter une œuvre immortelle. Fannius longtemps avant sa mort eut un pressentiment de ce qui est arrivé. Une nuit, il rêva qu'il était assis devant son pupitre lorsque Néron lui apparut, s'assit à côté de lui, parcourut les trois volumes de son histoire et disparut. Ce rêve l'alarma beaucoup et lui fit croire qu'il mourrait avant d'avoir terminé son travail. Et c'est ce qui arriva...

Efforçons-nous, mon ami, de faire tout ce que nous pouvons pendant que la vie nous le permet, afin que la mort, lorsqu'elle arrivera, ait le moins possible à détruire. »

Dans d'autres lettres de Pline on constate combien les anciens attachaient d'importance aux rêves. On sait que les plus grands hommes de l'antiquité étaient très superstitieux, qu'ils cherchaient dans les accidents les plus futiles, dans les événements les plus insignifiants les secrets de l'avenir.

Un autre extrait d'une lettre de Pline fait voir combien les anciens étaient portés, comme je l'ai dit, à n'enseigner toute chose qu'au point de vue purement humain. Il parle d'un des grands personnages de Rome, qui est très malade, et après avoir fait l'éloge de ses qualités et de ses vertus, il ajoute : « Il m'appela récemment auprès de lui ainsi que plusieurs de ses amis et nous pria de demander aux médecins ce qu'ils pensaient des résultats de sa maladie, vu que s'ils le déclaraient incurable, il était décidé à mettre fin à ses jours. C'était une résolution héroïque et digne d'admiration. »

Comme on le voit, la sagesse antique ignorait les préceptes les plus ordinaires de la religion et de la morale et approuvait ou tolérait les actes les plus répréhensibles. Cicéron, Caton et les autres grands hommes de l'antiquité s'occupent avant tout de faire tout ce qui peut leur donner de la gloire et transmettre leurs noms à la postérité.

Pline se plaint de la décadence des mœurs et déplore spécialement de voir le Barreau perdre la dignité qui le distinguait autrefois. Il dit qu'on voit des jeunes avocats arriver au prétoire accompagnés de gens chargés d'applaudir leurs plaidoiries. Il ne dit pas ce que les juges du temps faisaient pour réprimer ces abus qui heureusement ne compromettent pas encore la dignité de nos tribunaux et portent rarement atteinte au respect de notre magistrature. Mais ce qui se passe à la Commission royale est de nature à faire croire que nos mœurs judiciaires ne sont plus ce qu'elles étaient.

À un ami qui lui demande son opinion sur un jeune homme qui sollicite la main de sa nièce, il fait l'énumération des qualités de ce jeune homme et termine en disant :

« Je ne crois pas nécessaire de parler de ses moyens pécuniaires, mais je puis dire qu'il est le fils d'un homme très riche ; vu les mœurs de notre époque et même les lois de Rome qui donnent à un homme dans la société un rang proportionné à sa fortune, je suis d'avis que la chose mérite considération ».

Voilà une considération qui n'a pas perdu le rôle important que de tout temps, elle a joué dans le monde. Les exigences de notre société rendent le mariage de plus en plus difficile, lorsque les futurs conjoints sont aussi pauvres l'un que l'autre ; même chez nous on ne se marie plus, dans les villes spécialement, comme autrefois, sans argent, sans dot, avec seulement de l'amour. Faire vivre convenablement une femme et des enfants coûte cher maintenant et demande un revenu considérable, surtout dans une certaine société.

C'est dans les lettres que Pline adresse à sa femme Calpurnia qu'il manifeste spécialement la tendresse de ses sentiments et la chaleur de son affection.

Elle est malade, dans une campagne où elle est allée chercher la santé. Il ne cesse de lui écrire, veut qu'elle lui écrive elle-même tous les jours et même deux fois par jour. Il lui répète combien il l'aime et désire la voir près de lui.

« Vous avez la bonté, dit-il, de déclarer que mon absence vous afflige et que votre seule consolation est de converser avec mes livres comme avec moi-même. Je suis heureux d'apprendre que je vous manque. Quant à moi, je lis et relis vos lettres et je les ai constamment à la main comme si je venais de les recevoir. Mais hélas ! elles ne font que ranimer mes sentiments à votre égard, car je me dis combien doit être douce la conversation de celle dont les lettres sont si charmantes. Toutefois je veux en recevoir aussi souvent que possible quoique le plaisir qu'elles me procurent ne soit pas sans chagrin... Portez-vous bien ».

Malgré le dérèglement des mœurs de ce temps, il y avait évidemment dans le grand monde romain si immoral, des hommes qui aimaient leurs femmes, savaient leur parler le langage de l'amour. Les lettres de Pline pourraient servir de modèles aux maris, à tous les amoureux de nos jours. On pourrait se demander si dans la haute société de notre époque il y a beaucoup d'hommes qui en écrivent de semblables.

Pline ne manque jamais l'occasion de parler de lui-même, de ses ouvrages, de ses succès au prétoire, de l'effet produit par son éloquence sur les juges et les sénateurs. Il raconte avec délice que Tacite s'étant trouvé assis au cirque à côté d'un chevalier romain, celui-ci, charmé de sa conversation, lui demanda qui il était. « Un homme lettré comme vous devrait le savoir », dit Tacite, et le chevalier reprit : « Êtes-vous Tacite ou Pline ? »

Pline est enchanté de ce rapprochement, de cette association de son nom avec un si grand homme. Puis il raconte qu'un jour il était assis à table à côté d'un Romain de grande distinction nommé Rafinus, qui avait pour voisin un ami venu à Rome pour la première fois, et qu'il entendit Rafinus dire à son ami en le montrant : « Voyez-vous cet homme ? » « Et alors, dit Pline, il parla de moi et de mes œuvres littéraires avec tant d'enthousiasme que l'étranger dit : « Alors ce doit être Pline ». « Si, ajoute Pline, Démosthènes fut si flatté d'entendre une vieille femme s'écrier en le voyant : « C'est Démosthènes ! » pourquoi en serais-je pas, moi-même flatté de la célébrité que j'ai acquise ».

N'est-ce pas que l'humanité est bien toujours la même ? Quels sont les hommes, célèbres de notre temps et de notre pays qui ne sont pas flattés des hommages adressés à leurs talents, à leurs succès et qui ne recherchent pas la popularité ? C'est un sentiment bien naturel qui les stimule et leur fait accomplir des œuvres utiles à la société. Malheureusement il est souvent exagéré et se manifeste par une vanité, par une soif de louange peu digne d'un grand esprit.

De tous les hommes éminents que j'ai connus, Laurier était le plus modeste, le moins enclin à parler de lui-même, de ses succès, et l'encens qu'on lui offrait ne le grisait pas ; il appréciait sans doute l'estime et l'admiration dont il était l'objet, mais en cette matière comme en toute chose il évitait l'exagération. La hauteur de son esprit et la noblesse de son caractère le préservaient des petitesses de la vanité.

J'ai cru qu'une analyse succincte de quelques-unes des lettres de Cicéron et de Pline intéresserait ceux qui aiment connaître les mœurs, les pensées intimes et les principes des grands hommes de l'antiquité et qu'elle démontrerait que sous plus d'un rapport ces païens pourraient servir de modèles aux hommes de notre temps.

La fin de Cicéron fut tragique : le fameux Antoine qu'il avait flagellé de son éloquence le fit assassiner et donna l'ordre d'apporter sa tête qu'il fit clouer à la tribune aux harangues, à cette tribune célèbre, où le grand orateur avait tant de fois provoqué les applaudissements de la foule. Il fut victime de la haute et juste opinion qu'il avait de la grandeur des services rendus à son pays ; il se croyait invulnérable et ne ménageait personne ; tour à tour ami de César et de Pompée, changeant facilement de partis, il se fit des ennemis puissants qui profitèrent de ses erreurs, de son inconstance pour se débarrasser de lui : sa gloire ne put le sauver.

Quant à Pline, plus prudent, plus constant dans ses affections, il mourut chargé d'années et d'honneurs.

La femme dans l'antiquité

Dans un chapitre de ce livre je parle de l'affection de Pline pour sa femme Calpurnia qui était d'ailleurs si digne d'être aimée et je disais que cette affection et cette fidélité étaient d'autant plus remarquables qu'elles étaient rares, à cette époque de démoralisation générale. On pourrait donner, cependant, d'autres exemples de cette nature, mais en général les lois et les mœurs de l'antiquité faisaient à la femme un sort peu enviable. Quand on voit Platon, l'un des sages les plus populaires de l'antiquité, l'un des plus grands philosophes que le monde ait produits, proposer dans son projet de *République* que les enfants à peine nés soient séparés de leurs mères pour être élevés dans un établissement public aux frais et dans l'intérêt de l'État et que ceux qui naissent infirmes ou malades soient exposés, on peut se faire une idée des sentiments du temps.

Aristote, l'émule de Platon, exprime à peu près les mêmes vues sur la femme et sur les droits de l'État relativement à l'éducation des enfants. Il fallait avant tout donner à l'État tous les pouvoirs nécessaires pour former des citoyens forts, capables de le défendre, de lui faire honneur, et la femme ne devait être qu'un instrument, un élément de production. Il est vrai que les idées de Platon ne furent pas introduites dans la législation et que Platon lui-même fut obligé de les abandonner, mais il est certain que dans la Grèce, à Lacédémone spécialement, le rôle de la femme était humiliant et faisait d'elle une servante, presque une esclave de l'homme et de l'État. Le mariage était une affaire arrangée entre les parents des futurs époux et l'amour n'y était presque pour rien, aussi on en brisait facilement les liens ; on divorçait comme on se mariait, par fantaisie.

Les hommes réputés les plus sages chez les Romains comme chez les Grecs ne se gênaient pas de répudier des femmes avec lesquelles ils avaient eu des enfants et vécu pendant trente ou quarante ans. C'est ce que fit Cicéron qui répudia après trente-cinq ans de mariage sa femme *Terentia* pour épouser une jeune fille très riche. Caton lui-même, le grand censeur des mœurs de son temps, était sans respect pour le mariage et pour la femme dont il redoutait l'influence sur les hommes. Il disait que l'homme ne pouvant se dispenser de la femme, devait en tirer le meilleur parti possible.

Inutile de dire que jamais on n'eut l'idée de donner à la femme le droit de voter et de s'occuper d'affaires publiques. Celles qui voulaient s'émanciper et sortir de l'état d'infériorité et d'isolement auquel on les condamnait, étaient les courtisanes dont plusieurs nous sont connues parce qu'elles furent les maîtresses de grands hommes, telles que, par exemple, Aspasie, la maîtresse illustre de Périclès, dont l'esprit et la beauté étaient si remarquables. Lorsqu'un homme comme Démosthènes pouvait dire publiquement que tout homme devait avoir, outre sa femme, deux maîtresses, on doit en conclure que la chose était dans les mœurs. Au théâtre, dans les pièces d'Aristophane et d'Euripide la dépendance et l'infériorité de la femme sont hautement proclamées. Dans les « Suppliantes » d'Euripide, on lit que la *femme sage doit laisser son mari agir pour elle en toutes choses.*

Pourtant, si on en juge par l'Iliade et l'Odyssée, il fut un temps où l'amour entre mari et femme se manifestait d'une façon émouvante, par des paroles et des actes héroïques que l'Histoire a enregistrés. Par exemple, quoi de plus touchant que le dévouement de Pénélope qui pendant vingt ans attend dans les larmes le retour de son mari, le rusé Ulysse, repousse tous les amoureux qui demandent sa main et ne songe qu'à revoir celui qu'elle aime tant ? Quoi de plus touchant que le récit fait par Homère de sa joie, de son bonheur quand enfin elle le revoit ! Quoi de plus touchant encore que la scène où Andromaque, tenant son bébé dans ses bras, fait ses adieux à son mari, le vaillant Hector partant pour le combat où il va périr ?

« Mieux vaut, dit-elle, que je meure si je dois te perdre, car il n'y aurait plus de bonheur pour moi, rien ne pourrait dissiper mon chagrin... Tu es pour moi autant un père, une mère et un frère, qu'un époux chéri. Voyons, aie pitié et place-toi ici sur cette tour afin que tu ne fasses pas de ton enfant un orphelin et de ta femme une veuve... »

Hector dit qu'il doit faire ce que son honneur et son devoir exigent, mais il répond à Andromaque dans le langage le plus affectueux : « Rien, ni la chute de Troie ni la mort de Priam et des braves qui vont tomber en combattant ne me tourmente autant que la pensée de ton angoisse le jour où un Achéen t'enlèvera baignant dans tes larmes et te privera de la liberté... Que la terre, si je meurs, soit si épaisse sur ma tombe que je ne puisse entendre tes gémissements et te voir entraîner en captivité. »

Voilà n'est-ce pas de belles paroles et de beaux sentiments ?

L'Histoire de l'antiquité nous offre d'autres exemples d'amour, de dévouement et de courage chez la femme. Par exemple, Pline raconte qu'un Romain éminent ayant été accusé de conspiration et arrêté, devait être condamné à mourir. Sa femme réussit à le voir et ne voulant pas que son mari tombât sous la main du bourreau, elle lui montra un poignard qu'elle avait caché sous ses vêtements, et s'en frappa au cœur en disant : « Tiens, prends et fais comme moi, ça ne fait pas mal. » Pline fait un éloge enthousiaste d'un acte, plus courageux que chrétien.

Je me souviens avoir lu autrefois qu'une femme, pour arracher son mari à la mort, vécut avec lui plusieurs années dans un souterrain où leur affection réciproque pouvait seul rendre la vie supportable.

Il faut dire que le mariage à Rome eut un caractère plus religieux qu'à Sparte ou Athènes et que la femme, la mère de famille, y fut plus respectée et considérée. Mais là comme ailleurs. elle fut victime de la corruption des mœurs. On rendait hommage aux actes de courage et d'héroïsme dont elle donnait parfois l'exemple, et même encore on trouve partout des monuments élevés par des maris reconnaissants à leurs épouses. Mais les lois et les mœurs restaient dures pour elle et la soumettaient à la volonté, à l'autorité plus ou moins tyrannique de l'homme, à une surveillance humiliante. Il est vrai qu'il vint un temps où elle ne se gêna pas de se venger de l'indifférence et des abus d'autorité de son mari et de tromper la vigilance sévère dont elle souffrait, en nouant des intrigues et en cherchant dans le divorce un remède à ses maux.

Inutile de dire que si le sort de la femme dans les pays civilisés comme la Grèce et l'Italie était si dur, il l'était bien davantage chez les nations barbares et dans les régions de l'Orient où elle était traitée en véritable esclave. Dans les Indes, la femme du roi régnant devait mourir avec lui ; on l'enterrait vivante ou on la faisait brûler sur un bûcher. Dans certains pays, comme chez les sauvages, elle était condamnée à faire les travaux les plus pénibles ; on allait même jusqu'à l'atteler à la charrue à côté du bœuf.

On a bien raison de dire qu'elle ne peut jamais trop reconnaître ce que le christianisme a fait pour l'émanciper, pour la réhabiliter et la délivrer de la tyrannie la plus odieuse.

Il est bien vrai que même chez les nations chrétiennes elle a eu à souffrir de la corruption des mœurs et on a vu des rois très chrétiens garder leurs maîtresses dans leurs palais à côté de leurs femmes légitimes ; mais à l'heure qu'il est ce scandale n'est plus possible, l'opinion publique ne le souffrirait pas. Un homme public ne pourrait pas poser, comme principe, qu'un homme a droit d'avoir deux maîtresses et qu'il peut répudier sa femme, la mère de ses enfants.

Non, le danger maintenant est de passer d'un extrême à l'autre, d'arracher la femme au sanctuaire de la famille pour lui permettre de se mesurer avec l'homme dans toutes les sphères de l'activité humaine et même dans les parlements.

Nous vivons à une époque où tous les principes fondamentaux de la société ou même toutes les lois de la nature sont bouleversées, où toutes les émancipations semblent avoir pour but de remplacer un abus par un abus, une tyrannie par une autre tyrannie. L'exagération des Anciens qui ne voyaient dans la femme qu'un être inférieur, la servante de l'homme n'ayant d'autre mission que de donner des enfants à l'État, n'est peut-être pas plus condamnable que celle qui la pousse dans les voies où elle contractera des habitudes nuisibles à la famille, à la société, où son organisation physique et intellectuelle fera éclater son infériorité, où elle ne pourra que perdre son prestige et le respect dont elle jouit, où enfin, la maternité sera considérée souvent comme un embarras.

S'il est un pays où la femme ne doit pas être détournée des devoirs que la nature, la Providence et sa noble mission lui imposent, c'est bien le nôtre, notre province où des familles nombreuses réclament tout son dévouement, toute son énergie. Nulle part, la femme n'a plus de droit à l'estime et à la reconnaissance publiques, car nulle part elle n'a accompli avec plus de zèle et de dévouement ses devoirs d'épouse et de mère. J'ai parlé des actes d'héroïsme accomplis par des femmes dont l'Histoire célèbre les noms. Mais il est des dévouements obscurs qui ont souvent plus de mérite et sont plus utiles à un peuple que les actions les plus éclatantes. Quoi, par exemple, de plus méritoire que le dévouement constant de la femme, qui, pendant vingt, trente, quarante ans met au monde, élève et forme à la vertu douze, quinze et vingt enfants, qui produit ces fortes et saines générations dont nous avons raison d'être fiers ! C'est en restant fidèles à ses glorieuses traditions, en marchant sur les traces de leurs mères, de leurs aïeules, que les Canadiennes-françaises accompliront leur mission et feront ce que notre avenir moral, religieux et national réclame. La femme peut faire tant de bien, accomplir tant de bonnes œuvres en dehors de la politique ! Là est le champ d'action où elle peut déployer l'esprit de dévouement et de sacrifice qui la caractérise ; là est le domaine où sa supériorité ne peut être contestée.

Hommage à un Canadien-français

(1923)

Plusieurs Canadiens-français font honneur à leur nationalité en dehors de la province de Québec dans la politique, les professions libérales et le commerce. Ils jouissent de l'estime de leurs concitoyens d'origine anglo-saxonne et défendent avec énergie et talent les droits et les croyances religieuses et nationales de leurs compatriotes, au détriment souvent de leur intérêt personnel, en s'exposant à mécontenter le milieu où ils vivent et dont ils ont besoin. J'aurais aimé les signaler à la reconnaissance publique, mais je crains d'en oublier, et je tâcherai de m'acquitter de cette tâche plus tard, lorsque j'aurai tous les renseignements nécessaires. En attendant, je me contenterai de parler de celui dont la carrière professionnelle et politique jette le plus d'éclat sur le nom canadien. Pour avoir réussi à se frayer un chemin dans un centre essentiellement anglais et à briller au premier rang au Barreau, à la Chambre, au Sénat, il fallait beaucoup de talent et d'énergie, il fallait un travail ardu, un effort soutenu.

On croit généralement que M. l'abbé Groulx en a fait le vrai héros de son roman si discuté : « L'Appel de la race ». En tout cas, son Lantagnac ressemble sous plus d'un rapport à M. Belcourt. Seulement, il n'a pu échapper au danger qui menace tous ceux qui entreprennent de mettre en scène un personnage vivant, de mêler le roman à la vérité, d'imaginer des situations plus ou moins conformes aux faits, à la vérité. Toutefois, si M. Belcourt est vraiment le personnage visé sous le pseudonyme de Lantagnac, M. l'abbé Groulx rend un hommage bien mérité au talent et au zèle avec lesquels le sénateur Belcourt a plaidé depuis plusieurs années la cause de la langue française. À Toronto même, devant des auditoires plus ou moins prévenus, il a eu le courage de démontrer l'injustice de la loi concernant l'enseignement du français dans les écoles de la province d'Ontario, et il l'a fait avec une érudition, une franchise, une éloquence qui ont provoqué l'admiration de ses auditeurs. Ils n'ont pu s'empêcher d'applaudir ce Canadien-français faisant appel à leur esprit de justice, dans un langage impeccable. avec une force de raisonnement si convaincante, avec une documentation abondante.

Les propositions suivantes étaient le thème de ses deux conférences :

Le Canada est un pays bilingue et il doit l'être dans l'intérêt général du Canada ;

Toute législation qui proscrit l'usage ou l'enseignement du français est injuste, contraire à l'esprit des traités, à l'interprétation raisonnable de la Constitution, aux leçons de l'Histoire, funeste à l'harmonie des races, à l'unité nationale.

À l'appui de ses propositions il apporta de fortes autorités, les opinions d'hommes d'État éminents, des extraits de lettres, dont plusieurs étaient inédites, écrites par des anciens gouverneurs du Canada.

Exemples : deux lettres écrites par le gouverneur Haldimand, en 1780 et en 1793, dans lesquelles il disait que dans l'administration du pays il fallait plutôt tenir compte des sentiments et de la façon de penser des 60,000 Canadiens-français qui formaient le vrai peuple du pays, que des 2000 autres individus, dont la plupart étaient des commerçants et ne pouvaient pas réellement être considérés comme des résidents. Il fait l'éloge de l'Acte de Québec, qui, en rendant justice aux Canadiens-français, a empêché le Canada de devenir américain. Il suggère aussi de favoriser autant que possible l'établissement de colons canadiens-français sur la frontière, afin d'éviter le danger d'un contact trop intime entre gens parlant la même langue et professant la même religion.

Écoutons maintenant lord Dalhousie :

« La religion et la langue des Canadiens-français sont certainement le meilleur boulevard et le fondement le plus solide de leur loyauté et de leur fidélité à la Couronne. L'éducation de la population catholique devrait être libéralement encouragée. Une institution royale semblable à celle des protestants devrait être établie pour l'administration de leurs écoles et soumise à l'administration de leurs évêques. »

Lord Elgin écrivait à lord Grey, en 1848 :

« Vous ne réussirez jamais à angliciser les Canadiens-français... Et qui croira pouvoir affirmer que la dernière main qui agitera le drapeau anglais sur le continent américain ne sera pas celle d'un Canadien-français ? »

Évidemment, ce furent ces dernières paroles de lord Elgin qui inspirèrent sir Pascal-Étienne Taché lorsqu'il s'écria que le dernier coup de canon tiré en Canada pour la Couronne anglaise le serait par un Canadien-français.

Le docteur Ryerson, le fondateur du système d'éducation de la province d'Ontario, a plus d'une fois exprimé l'opinion que le français étant aussi bien que l'anglais le langage officiel du Canada : IL DEVAIT ÊTRE ENSEIGNÉ DANS LES ÉCOLES DE CETTE PROVINCE.

Sir Oliver Mowat exprimait la même opinion et disait : « On ne gagnera rien à proscrire la langue française dans les écoles ».

Jusqu'au célèbre et infortuné lord Kitchener qui, peu de temps avant sa mort tragique, disait : « J'ai beaucoup entendu parler depuis quelque temps de la question bilingue au Canada. Les Canadiens-français savent ce qu'ils veulent et ils devraient l'obtenir... Ils veulent avoir leur langue maternelle dans n'importe quelle partie du pays ; donnez-la leur.. Plus vous leur donnerez, plus ils seront attachés aux institutions britanniques... »

Lord Dufferin, le plus remarquable de nos gouverneurs, a dit plus d'une fois que la diversité de races, de langue, de traditions, et la différence de mentalité étaient pour un pays un élément de progrès et de supériorité.

M. Belcourt donne des extraits intéressants des discours éloquents prononcés par sir John Macdonald et le grand avocat Edward Blake dans le célèbre débat de 1890, sur l'abolition de la langue française dans les territoires du Nord-Ouest.

Fort des opinions exprimées par ces hommes éminents, M. Belcourt affirme avec énergie que, dans l'intérêt même du Canada et de ses destinées, les Canadiens-français doivent conserver leur langue, leurs traditions, leur religion, tous les traits caractéristiques de leur race.

« Si, dit-il, ils étaient assez *lâches* pour renoncer à ce qui constitue la meilleure part de leur héritage national, ils mériteraient d'être méprisés par leurs concitoyens anglais, et ceux qui prêchent la proscription de la langue française font une œuvre funeste au pays, à ses intérêts les plus chers, à sa mission, contraire aux intentions des auteurs de notre constitution ».

Le président de la réunion dit, en proposant un vote de

remerciements à M. Belcourt, qu'à une assemblée de la Société Historique de l'Université de Toronto, il avait été unanimement résolu qu'il était temps d'abroger le néfaste règlement 17. Plusieurs journaux de Toronto ne purent s'empêcher de constater le succès de M. Belcourt et l'effet considérable produit par son plaidoyer.

Lorsqu'on lit les deux conférences de M. Belcourt, on s'explique l'impression qu'elles ont dû produire sur les esprits ouverts à la vérité, capables de s'élever au-dessus des préjugés. Le raisonnement, la logique et le sentiment y forment une forte chaîne, un faisceau puissant. Le sénateur Belcourt a donc droit à la reconnaissance de ses compatriotes, qu'il a honorés en s'honorant lui-même.

Ils ont bien du mérite nos compatriotes qui, partout en Amérique, aux États-Unis comme au Canada, donnent l'exemple du patriotisme et de la fidélité à tout ce qui constitue notre héritage national, et se font un devoir d'apprendre à leurs concitoyens d'origines différentes l'histoire glorieuse de notre passé et les actions héroïques de nos ancêtres.

L'énergie au point de vue national

L'énergie a toujours joué un grand rôle dans les destinées des peuples et des individus ; c'est elle qui assure leur force, leur grandeur et leur influence ; sans elle les plus grands talents, les génies les plus puissants sont plus ou moins incomplets et stériles. Elle a été la qualité dominante de tous les grands peuples, de tous les grands hommes, de tous ceux qui se sont illustrés, qui ont acquis la gloire ou la fortune.

Rien de plus clairement établi par l'histoire ancienne et moderne, par l'expérience de tous les temps, de tous les pays. Depuis des siècles, on célèbre les actes d'énergie accomplis par les Grecs et les Romains, et on rapporte les moyens extraordinaires, cruels même employés par ces deux grandes nations pour faire de leurs citoyens des hommes énergiques, capables de tout entreprendre, de tout souffrir, de braver tous les dangers.

On n'a pas besoin de recourir à l'antiquité pour savoir ce que l'énergie peut produire. L'histoire de la guerre qui vient de ravager le monde en fournit des preuves éclatantes. À quoi la France doit-elle son salut ? À l'énergie constante qu'elle n'a cessé de déployer pendant cinq ans dans la lutte la plus terrible, la plus dangereuse qu'elle ait subie depuis son existence.

Il y a quelques années, un écrivain français faisait une conférence ayant pour titre : « Napoléon, professeur d'énergie » et démontrait de la façon la plus intéressante, que ce grand homme devait à son énergie autant qu'à son génie tout ce qu'il avait accompli de grand, de glorieux. Mais pourquoi sortir de notre pays pour trouver des exemples d'énergie ? Notre histoire en fourmille ; depuis la fondation du Canada jusqu'à nos jours, elle en offre par centaines à notre admiration. Ce qu'il a fallu d'énergie pour fonder la Nouvelle-France, pour créer sur les bords du Saint-Laurent une nationalité canadienne-française, en dépit de tous les obstacles, de tous les dangers et des souffrances suscités par une nature inclémente et des sauvages barbares et cruels, est incroyable. L'histoire des hommes n'offre rien de plus beau que l'énergie héroïque des Champlain, des Maisonneuve, des Dollard, des LeMoyne, des d'Iberville. Et ce qu'on appelle le « Miracle canadien » ou le miracle de notre survivance est dû à l'énergie constante, persévérante et infatigable de notre population, au travail ardu de nos colons, de nos défricheurs, au dévouement de notre clergé, de nos institutions religieuses, de nos communautés d'hommes et de femmes, de nos éducateurs laïques.

On oublie trop ce qu'il faut de courage constant pour se dévouer pendant des années à l'éducation et au soin de ses semblables sans aucun intérêt humain, sans autre motif que celui de faire son devoir envers Dieu et ses semblables. Car l'énergie n'est pas seulement admirable chez les grands, elle l'est peut-être davantage chez les petits, chez les humbles, chez ceux qu'aucun intérêt terrestre ne stimule. Et que dire de l'énergie de nos mères de famille qui pendant une longue vie se soumettent aux charges d'une maternité si onéreuse et donnent à la patrie les nombreuses générations qui en font la force et la grandeur ! La politique ne les détournera pas, je l'espère, des devoirs que leur noble mission leur impose dans l'intérêt de la famille et de la nationalité ; elles continueront de préférer exercer leur heureuse influence au sein de la famille que dans les parlements où elles seront plus ou moins déplacées physiquement et moralement.

Jusqu'à présent je n'ai envisagé que les bons côtés de l'énergie, mais il faut bien reconnaître que, à l'exemple des plus belles et des plus fortes facultés de l'âme, elle est puissante pour le mal comme pour le bien. Tout dépend de la façon dont elle est dirigée par la raison et les sentiments.

Inspirée ou dirigée par la religion, le patriotisme et l'amour du prochain, elle produit des saints, des héros, des bienfaiteurs de l'humanité ; alliée à un esprit méchant, elle enfante les grands criminels. L'expérience démontre aussi que plus l'énergie est grande plus elle a besoin d'être contrôlée, dirigée par un jugement sain, par une raison froide. Une volonté faible, à la merci d'une imagination brillante ou de fortes passions produit des vies irrégulières, pleines d'erreurs et de fautes.

Mais que faire, dit-on, lorsqu'on est venu au monde sans énergie ? À cette question que l'on pose souvent, la réponse est facile. L'énergie, comme les autres qualités de l'âme, peut s'acquérir par la réflexion, par l'entraînement, par la lutte, une lutte constante, persévérante. Chaque effort pour résister à une mauvaise pensée, à un mauvais sentiment, fortifie la volonté, la fait monter d'un cran.

Croit-on que les Augustin, les François de Sales, les Vincent de Paul sont devenus saints du premier coup, sans lutte, sans combat ?

L'un de mes amis avait contracté le goût des boissons fortes à un tel point que sa santé en souffrait sérieusement. Un jour, son médecin lui dit que s'il continuait de boire, il ne vivrait pas longtemps. « Puisqu'il en est ainsi, dit-il, je n'ai pas le droit de détruire ma vie au détriment de ma femme et de mes enfants ». Il fit la promesse solennelle de ne plus boire ; il y fut fidèle et il mourut à un âge avancé. Mais il disait souvent les efforts qu'il lui avait fallu faire pour briser sa volonté, pour être maître de sa passion. J'ai déjà parlé des moyens employés par les Japonais pour donner de l'énergie à des enfants faibles et timides. Un père, par exemple, enverra son fils porter pendant la nuit un objet quelconque dans un cimetière, il le fera lever à quatre heures du matin pour le soumettre aux exercices les plus violents et les plus propres à le fortifier. Le procédé est cruel, barbare même souvent, mais il produit des résultats merveilleux ; il forme des hommes dont l'héroïsme a fait l'admiration du monde entier dans la guerre russo-japonaise.

Il n'y a pas de doute que le zèle religieux, l'enthousiasme patriotique, l'ambition et le pouvoir enfantent souvent des actes d'énergie. Mais l'énergie la plus méritoire est celle qui dure, qui se manifeste non pas seulement une ou plusieurs fois sous l'empire d'un sentiment puissant, d'une grande exaltation, mais toujours, dans tous les actes d'une vie longue.

L'expérience démontre qu'une intelligence ordinaire servie par une forte volonté a souvent plus de valeur et de succès qu'un talent brillant dénué d'énergie.

De tous les hommes distingués que j'ai connus, sir Georges-Étienne Cartier était le type le plus accompli de l'énergie personnifiée. Tout chez lui dans son extérieur, dans sa façon de parler et de marcher, dans son regard, dans tous ses mouvements, annonçait un homme déterminé, à la volonté forte, inébranlable, un lutteur sans peur et sans merci. Lorsqu'il parlait dans la Chambre ou sur un husting, les mouvements de sa formidable mâchoire menaçaient de broyer ses adversaires. Son énergie a pu, dans certains cas lui faire commettre des erreurs, mais elle nous a rendu de grands services dans des circonstances où une volonté faible aurait pu nous faire beaucoup de mal.

Chapleau, enfant gâté de la nature, avait une volonté vacillante, à la merci des événements, et des circonstances ; mais il avait tant de talent, il avait une éloquence si séduisante, il y avait tant de charme dans son extérieur et sa voix, qu'il ne sentit jamais assez le besoin de faire de grands efforts pour réussir, pour être admiré, adulé même.

Mercier avait plus de volonté, ainsi que le démontrent son extérieur, sa vigoureuse organisation physique, son éloquence véhémente et argumentative. Il en a donné une preuve convaincante dans le règlement de la question si épineuse des biens des Jésuites. Il a fait, à cette occasion, ce qu'aucun autre homme d'État n'avait osé entreprendre. Il en a encore donné la preuve lorsque de 1882 à 1886, à la tête d'une quinzaine de députés libéraux, il entreprit de démolir le gouvernement des Mousseau, des Flynn et des Taillon. Ceux qui l'ont vu aux prises avec ces hommes distingués n'oublieront jamais la vigueur et le talent qu'il déploya dans cette lutte, qui, grâce à la question Riel, se termina par l'écrasement du parti conservateur.

Laurier, si doux, si patient, si indolent même dans les choses ordinaires de la vie, avait de l'énergie par devoir, lorsque l'intérêt de son parti ou de son pays l'exigeait, et alors il se transformait et déployait dans ses actes comme dans ses paroles une vigueur étonnante ; rien ne pouvait l'empêcher de dire et de faire ce qu'il croyait juste, opportun, nécessaire.

Ma conclusion est facile à deviner.

Il est opportun, nécessaire de former des hommes de volonté forte, capables de résister aux mauvaises influences, de poursuivre un but louable avec patience et persévérance, de remplir leurs devoirs de chrétiens et de citoyens, de lutter, de faire des sacrifices pour le triomphe d'un principe juste, d'un sentiment noble, d'une cause nationale, et de mériter la confiance de leurs compatriotes et même l'estime de leurs concitoyens d'origine anglaise.

Tous nos collèges, toutes nos maisons d'éducation devraient être des écoles d'énergie.

L.-O. Taillon

L'un des derniers survivants de mon temps vient de disparaître. Pourtant à le voir, on pouvait croire qu'il vivrait encore plusieurs années. Mais les apparences chez l'homme qui a dépassé la 80ᵉ année sont souvent trompeuses ; à cet âge le fil de la vie est ténu, fragile, facile à briser. S'il a vu venir la mort, il a dû la recevoir comme une amie, car depuis plusieurs années la vie n'avait plus de charmes pour lui. Vivant presque toujours seul, isolé, dans une communauté où la sympathie et les égards les plus délicats ne suffisaient pas à remplacer les soins et les affections de la famille, ne pouvant presque plus lire à cause du mauvais état de ses yeux, ayant abandonné l'exercice actif de sa profession, il s'ennuyait, faute des distractions si nécessaires à l'homme dont le cerveau est actif, l'âme impressionnable. D'ailleurs, il y avait toujours chez lui un fond de mélancolie, un besoin de changement et un certain dédain des choses de la vie, qui l'empêchaient de jouir des situations importantes qu'il occupait et des satisfactions qu'elles auraient dû lui procurer.

Son cours d'études fini, il avait pris la soutane ; des sentiments religieux et son état d'âme le portaient naturellement vers le sacerdoce, mais il eut peur des responsabilités du prêtre qui veut faire son devoir, et il résolut de se faire avocat. De libéral modéré il devint conservateur ardent, se fit élire plusieurs fois député, fut deux fois élevé au poste de premier ministre, et ne cessa d'occuper à Québec les positions les plus importantes. En 1896 il démissionnait comme premier ministre pour entrer dans le cabinet Tupper et l'aider à faire triompher sa politique relativement à la fameuse question des écoles du Manitoba. Il croyait sincèrement que le bill rémédiateur proposé par Tupper était la solution la plus pratique de cette épineuse question. Ce ne fut pas l'opinion des électeurs, qui, en 1896, votèrent contre le ministère Tupper et firent arriver Laurier au pouvoir.

Taillon avait renoncé inutilement à la haute position qu'il occupait à Québec. Il n'hésitait jamais à sacrifier son intérêt personnel, à braver même l'impopularité, afin de rendre service à son parti, à son pays. Pourtant la franchise de sa parole et sa façon honnête d'administrer les affaires de la province lui causèrent bien des ennuis. On admirait sa probité, son désintéressement, mais on le trouvait trop sévère, trop scrupuleux. Aux amis qui s'en plaignaient, il disait : « Lorsque la façon dont je fais mon devoir ne vous conviendra plus, je m'en irai »

Je crois devoir donner un exemple entre plusieurs de sa probité.

Au cours d'une de ses élections, un entrepreneur connaissant sa pauvreté lui adressa un chèque de $500. Taillon lui renvoya son chèque en lui disant qu'il ne pouvait rien accepter d'un homme qui faisait des affaires avec le gouvernement. Beaucoup d'hommes publics pourraient-ils en dire autant ?

Il aurait pu être juge, mais il refusa de l'être craignant les responsabilités d'une position dont il était si digne. Les avocats d'aujourd'hui ne sont pas aussi craintifs.

Lorsque ses amis voulurent lui assurer une retraite convenable, ils le firent nommer gouverneur des Postes à Montréal, mais un bon jour il donna sa démission en disant qu'il ne croyait pas avoir été nommé uniquement pour nommer des balayeuses et des messagers, et que, dans de pareilles conditions, il ne pensait pas gagner son salaire.

Le fait est que si ses amis avaient voulu reconnaître dignement ses services, ils auraient dû le nommer sénateur. Le courage avec lequel il approuva la politique du ministère Borden lui méritait bien cela. Mais comme sa délicatesse, sa modestie et une fierté de bon aloi l'empêchaient de rien demander, d'autres moins scrupuleux passaient avant lui.

Rien de stable, de permanent dans son existence.

Il en fut de même de son mariage : après des années de réflexion, il se décida à épouser une charmante femme, Mme veuve Bruneau, avec laquelle il avait toute raison d'espérer être heureux. Huit mois après son mariage, elle mourait presque subitement. Le coup fut terrible, la blessure profonde, inguérissable. Il se fâchait lorsqu'on lui conseillait de se remarier et disait qu'il ne voulait plus s'exposer au même danger.

Les sentiments religieux qui l'animaient avaient de la peine à maîtriser les impatiences de son tempérament, la violence de son caractère, à l'empêcher de tomber dans le scepticisme. L'injustice, la grossièreté, la malhonnêteté et l'ignorance prétentieuse l'indignaient. Il aimait les milieux où régnaient la candeur, la franchise, la politesse, la bonne foi et la modestie, et c'est la raison pour laquelle il a pu vivre si longtemps dans une maison où il trouvait ces qualités.

En résumé, c'était une forte et brillante organisation morale et intellectuelle, une nature de soldat et d'artiste, pleine de vitalité, de vivacité, de contrastes, faite de poudre à canon et d'huile d'olive ; un caractère original et mobile, passant facilement de la brusquerie et de l'impatience à la douceur, à l'attendrissement ; un esprit fin, remuant, étincelant comme une aurore boréale, souple, propre à tout, capable de tout comprendre, de tout faire ; une tête vivante, où les pensées sérieuses, sombres même, se succédaient et se succédaient avec la rapidité de l'éclair ; une éloquence un peu indolente parfois comme son caractère, puis soudain agressive, belliqueuse, retentissante ; une verve intarissable ; une mitrailleuse de bons mots, de réparties, de boutades et d'apostrophes spirituelles.

Il ne refusait jamais son concours aux œuvres patriotiques. Par exemple, lorsqu'en 1874, j'eus l'idée de célébrer la fête nationale de façon à faire briller notre vitalité nationale, en invitant toutes les associations canadiennes-françaises de l'Amérique et du Canada à se réunir à Montréal, Taillon fut un des premiers à qui je m'adressai pour organiser cette fête inoubliable, si belle qu'on n'en verra peut-être jamais plus une pareille. Dans les nombreuses assemblées qui eurent lieu pour inviter notre population à faire des préparatifs nécessaires, il parla avec une force et une chaleur qui produisirent le plus grand effet, et lorsqu'il avait fini de parler, de sa voix mâle, puissante, il entonnait des chants patriotiques. Les électeurs de la division Est de Montréal, si sensibles aux influences oratoires et musicales, ne pouvaient manquer d'admirer un homme si bien doué. Aussi, ils se firent un devoir et un honneur de l'envoyer les représenter à la chambre locale.

C'était un des hommes les plus spirituels de son temps. Ses traits d'esprit sont bien connus ; j'en ai moi-même publié plusieurs.

Un jour, Mercier, qui avait eu l'habileté de faire accepter au populaire curé Labelle la position de sous-ministre de l'Agriculture, invoquait son opinion pour justifier sa politique. Taillon lui reprocha de se servir de ce prêtre estimé comme d'un paravent, espérant sans doute qu'on n'oserait pas toucher au curé Labelle. « Eh bien ! dit-il, si nous ne pouvons vous atteindre en passant à travers le corps du curé Labelle, nous en ferons le tour ; seulement ce sera long ».

Mercier demandait d'affecter quelques milliers de piastres à l'empierrement de certains chemins. « Vous n'avez pas besoin pour cela, dit Taillon, de rien acheter, vous avez reçu assez de pierres pour macadamiser tous les chemins de la province ».

Aux élections de 1886, il fut défait à Montréal, mais élu à Montcalm. À des amis qui déploraient ou regrettaient sa défaite à Montréal, il dit : « Oui, c'est vrai, j'ai perdu Montréal, mais j'ai gardé mon calme ».

Mais répéter tous ses mots spirituels serait trop long.

Lorsqu'on réussissait à l'arracher à ses préoccupations, à ses méditations plus ou moins tristes, il était charmant ; sa verve, sa gaieté, ses traits d'esprit égayaient les réunions où l'on avait réussi à l'avoir. Sans compter que, grand amateur de musique et possesseur d'une voix puissante qu'il savait manier, il chantait avec succès les compositions des plus grands maîtres. Il fut fort chagrin le jour où il constata qu'il lui fallait renoncer au plaisir favori que lui procurait la musique. Ne pouvant presque plus lire, ainsi que je l'ai dit, seul avec ses pensées, ses souvenirs et ses regrets, ne désirant ni n'espérant plus rien, la vie ne lui disait plus rien de bon. Aux hommes dont la vie a été active, mouvementée et dont le cerveau a conservé sa vigueur, il faut, dans la vieillesse, une occupation quelconque, un intérêt qui leur fasse croire qu'ils sont encore utiles.

La mort qu'il désirait a été bonne pour lui : elle l'a terrassé d'un seul coup.

Il n'y eut qu'une voix pour rendre hommage aux talents et aux qualités du défunt, pour proclamer que jamais homme public ne fut plus honnête, plus désintéressé, plus digne de respect, plus soucieux de faire son devoir envers la société, plus zélé pour les intérêts de son pays. Des hommes de cette trempe sont difficiles à remplacer.

Je suis heureux de rendre hommage à un adversaire politique dont l'esprit de parti, depuis quelques années spécialement, était plus ou moins intransigeant, mais dont je n'ai jamais cessé d'admirer le talent, l'esprit, la probité et toutes les qualités du vrai gentilhomme.

Ils s'en vont les hommes de mon temps ! Que de vides ! Nous ne sommes plus que trois ou quatre de cette génération, et il faudra bien que nous partions nous aussi. Si nous savions au moins où nous allons ! Mais heureux ceux qui peuvent comme Taillon, se rendre le témoignage d'avoir fait toujours leur devoir.

La grande fête nationale de 1874 et le Monument National

L'idée de cette fête mémorable m'avait été inspirée par le désir de donner une preuve éclatante de notre vitalité nationale en y appelant toutes les associations canadiennes-françaises du Canada et des États-Unis. Répondant à l'appel de l'Association Saint-Jean-Baptiste, des milliers de Canadiens-français arrivèrent de partout, même des endroits les plus éloignés du continent américain. Pendant six mois, des comités composés des citoyens les plus éminents de Montréal, s'étaient préparés à les recevoir et à donner à la fête tout l'éclat possible. La messe à Notre-Dame, les concerts dans les parcs, le banquet, les discours, les processions et les décorations, des rues furent l'objet de l'admiration générale. Jamais on n'avait vu et jamais peut-être on ne reverra semblable procession ; trente sociétés nationales des États-Unis y figurèrent, la plupart accompagnées de corps de musique et portant des costumes brillants ; les chars allégoriques où étaient représentés, personnifiés, les personnages les plus éminents de notre glorieux passé, étaient magnifiques.

La procession défila pendant trois heures dans des rues couvertes de drapeaux et de feuillage, sous des arcs de triomphe d'une grande beauté, au milieu d'un enthousiasme indescriptible.

J'avais eu la pensée que cette grande et solennelle réunion de la famille canadienne aurait pour effet d'engager nos compatriotes à revenir chez nous, reprendre leurs places au foyer national. Mais l'impression produite par leur apparence de prospérité, de confort et de contentement, ainsi que par leurs déclarations, ne fut pas de nature à produire cet effet et, malheureusement, à cette époque, les lois étaient peu favorables à la colonisation, peu propres à inciter les Canadiens-français, ceux surtout qui n'avaient pas d'argent, à braver les misères du défrichement.

La construction du Monument National fut l'un des résultats de la grande fête de 1874. L'impossibilité où se trouvait l'Association Saint-Jean-Baptiste de recevoir chez elle, dans des salles lui appartenant, ces milliers de compatriotes venus de toutes les parties du continent américain, m'avait humilié, et je conçus alors le projet de construire un édifice qui nous donnerait des revenus, les moyens de faire des œuvres de patriotisme pratique, et de réunir, dans nos jours de fêtes nationales, la famille canadienne-française. Mais ce n'est qu'en 1887, lorsque je fus élu président de l'Association, que je pus réaliser ce projet, grâce à l'aide de certains hommes dont le dévouement et les sacrifices devraient être plus connus et que je me propose de faire connaître. On n'a pas d'idée de ce qu'il a fallu de courage et de patience pour mener à bonne fin cette entreprise, pour l'empêcher de périr. Aussi, lorsque dans cet édifice, qui nous avait causé tant d'ennuis et donné tant de mal, nous étions décapités, mes amis et moi, et quittions la grande salle du Monument, pendant que nos adversaires célébraient leur victoire par des chants patriotiques, je ne pus m'empêcher d'éprouver un sentiment pénible.

Lorsque, plus tard, j'étais battu dans la division Est de Montréal par les ouvriers, dont pendant quatre ans j'avais dans la Chambre locale plaidé la cause et amélioré si considérablement la situation, je compris qu'il fallait faire le bien, faire son devoir, sans s'occuper si on nous en saurait gré. Après tout, il y a une certaine satisfaction à faire ce que l'on doit, ce que l'on croit bon, utile à ses compatriotes, à ses semblables, sans compter sur leur reconnaissance. D'ailleurs, ce manque de reconnaissance est souvent excusable à cause des circonstances. Et puis, est-on bien sûr soi-même de n'avoir pas souvent péché sous ce rapport, sans trop s'en rendre compte, par inadvertance ou insouciance ?

Savoir pardonner et oublier est un sentiment aussi pratique que chrétien. La rancune et l'aigreur engendrées presque toujours par l'amour-propre blessé, sont mauvaises conseillères ; elles sont funestes à la paix et au bonheur des familles et empêchent souvent un homme de faire ce qu'il doit.

Les résolutions adoptées par les patriotes à la grande assemblée de Saint-Laurent le 15 mai 1837

Je dois à M. le juge Brodeur, petit-fils d'un patriote tué à Saint-Charles, le texte des résolutions adoptées à la grande assemblée tenue à Saint-Laurent le 15 mai 1837. Louis-Joseph Papineau, le principal orateur du jour, y fit un discours véhément dans lequel il exhorta les hommes et les femmes de la province à ne faire usage que d'étoffes et, en général, de produits fabriqués dans le pays. Cette assemblée, venant après celle de Saint-Ours, effraya les autorités ainsi que le démontre la dépêche adressée, le 26 mai, par lord Gosford au ministre des colonies.

Voici ces résolutions :

Proposé par le capitaine Stanislas David du Sault-au-Récollet, appuyé par M. François Tavernier, de Montréal, et

Résolu – « Que lorsque nous avons demandé l'intervention du gouvernement impérial dans l'intérêt du bon gouvernement de cette province nous indiquâmes comment les réformes demandées devaient nous être accordées ;

« Que ce n'est pas conformément aux vues européennes, ni aux recommandations de gens étrangers aux besoins de ce pays et à notre état social, que nos institutions politiques devraient être modifiées, mais que ce changement devrait être fait suivant les recommandations et les désirs des députés librement élus par le peuple, vu que seuls ils ont la compétence requise pour connaître nos besoins et réformer ces institutions dont ils ressentent autant que nous les déplorables abus ;

« Que nous répudions d'avance les remèdes inefficaces que l'on parle d'appliquer à des griefs dont la cause ne sera pas détruite ;

« Que nous demandons, par l'extension du système électif, des institutions analogues à celles des ci-devant colonies de la Nouvelle-Angleterre, les seules qui conviennent à notre état social et qui puissent mettre fin à ces odieuses distinctions nationales que nous détestons, et nous donner les bases d'un bon gouvernement. »

Par les représentants du peuple

On a dû remarquer que les patriotes de 1837 proclamaient que tout changement dans nos institutions politiques devrait être fait uniquement par les représentants du peuple, qui seuls connaissaient les besoins de ce pays et pourraient appliquer efficacement aux griefs dont on souffrait des remèdes requis. Comme on le voit, la politique de nos jours qui exige qu'aucun changement dans nos institutions politiques et dans nos rapports avec le gouvernement impérial ne soit fait sans l'assentiment des habitants de ce pays, n'est pas nouvelle ; c'était celle des patriotes de 1837. L'autonomie de la province et l'industrie nationale furent les deux thèmes principaux de l'éloquente philippique de Papineau.

Lorsque nos ministres et nos hommes publics demandent à la population d'acheter le moins possible des États-Unis ce qu'elle peut se procurer dans le Canada, ils ne se doutent pas qu'ils ne font que répéter ce que les chefs patriotes ont conseillé et prêché avant eux. Seulement, il faut l'avouer, les motifs étaient différents. Le but des patriotes était spécialement de priver le gouvernement des revenus provenant des droits de douane imposés sur les marchandises venant de l'Angleterre. Et ils étaient heureux de pouvoir proclamer que cette politique aurait pour effet de développer les industries du pays. Nos hommes publics, eux, disent avec raison que la consommation de produits canadiens mettrait fin à la grande perte d'argent que les taux du change causent au pays et favoriserait indirectement nos industries nationales.

Des historiens prétendent que les patriotes auraient dû persister à assurer le triomphe de leurs idées par des moyens constitutionnels. C'est ce qu'ils auraient fait probablement et ils n'auraient pas perdu patience, si au lieu de continuer à les maltraiter, à mépriser leurs revendications on leur avait donné raison d'espérer que justice serait faite. Il a fallu deux insurrections pour ouvrir les yeux au gouvernement impérial et à ses représentants au Canada, pour les décider à accorder aux Canadiens les réformes qu'ils réclamaient.

Je ne crois pas nécessaire de publier les autres résolutions adoptées à l'assemblée de Saint-Laurent.

La dernière demandait l'organisation d'une convention générale dont feraient partie les membres de la Chambre d'assemblée et du Conseil législatif et des délégués de tous les comtés, villes et villages de la province, et qu'un comité fût nommé pour représenter la cité et le comté de Montréal à cette convention et que ce comité fût composé comme suit : Docteur Valois, E.-R. Fabre, George Watson, Louis-Roy Portelance, Thomas McNaughton, Urbain Desrochers, P. Lachapelle, Stanislas David, John Dillon, I. Bell, Joseph-Antoine Gagnon et Joseph Letourneux.

Des assemblées comme celle de Saint-Laurent, ayant eu lieu dans plusieurs comtés de la province, Lord Gosford lança une proclamation pour les défendre et destitua un grand nombre d'officiers de milice afin de les punir d'y avoir assisté. Mais les patriotes n'en continuèrent pas moins de se réunir et de protester par des RÉSOLUTIONS énergiques contre la conduite du gouvernement. La célèbre assemblée de Saint-Charles mit le comble à la mesure, et Lord Gosford se crut obligé, à son regret, d'émettre des mandats d'arrestation contre les chefs patriotes. Il faut avouer que les RÉSOLUTIONS adoptées dans les assemblées publiques devenaient de plus en plus violentes et séditieuses. Lord Gosford était un excellent homme, naturellement porté à la clémence, et hostile aux mesures de rigueur. Mais les ennemis des patriotes étaient actifs et violents ; dans des assemblées publiques ils demandaient au gouvernement de sévir, et il faut bien avouer que le langage et la conduite des chefs patriotes leur donnaient trop raison. Mais la politique du gouvernement impérial autorisant le gouverneur à s'emparer du revenu de la province sans le consentement de la Chambre, avait mis le comble à l'indignation publique. On avait eu recours à ce moyen extrême afin de remplacer les subsides que la Chambre d'assemblée persistait à refuser de voter. Mais c'était un acte subversif de la constitution anglaise, un procédé tyrannique et injustifiable. Ce fut l'opinion exprimée dans le parlement anglais par les hommes les plus éminents.

Le Monument des Patriotes

Lorsqu'on m'offrit la présidence du comité du Monument aux Patriotes de 1837-38, je crus que je ne pouvais refuser de participer à une œuvre si patriotique, à une œuvre de justice et de reconnaissance ; je pensai que je ne pouvais refuser de rendre hommage, pour la dernière fois peut-être, à la mémoire des hommes dont, depuis près de soixante ans, je plaide la cause. Je crus aussi que les Canadiens-français se feraient un devoir de contribuer à l'érection d'un monument, à l'endroit même où douze de ces patriotes infortunés montèrent sur l'échafaud pour expier le crime d'avoir trop aimé la liberté, d'avoir voulu mettre fin aux abus, aux injustices dont les Canadiens étaient victimes. On élève des monuments à des hommes qui souvent ont beaucoup moins souffert et fait des sacrifices bien moins admirables pour le bien, l'honneur et les droits de leurs compatriotes, de leur pays.

Ils furent imprudents, dit-on, ceux spécialement qui entreprirent l'insurrection de 1838. C'est vrai, mais s'il fallait condamner toutes les imprudences enfantées par le dévouement, par le sacrifice, il faudrait enlever les pages les plus glorieuses de notre histoire. Lorsque Dollard et ses seize héroïques compagnons entreprirent d'arrêter les sauvages menaçant de détruire la colonie naissante de Ville-Marie et même de toute la Nouvelle-France, le brave LeMoyne et quelques autres des plus intrépides défenseurs de Ville-Marie trouvèrent le projet imprudent et leur demandèrent d'attendre que la récolte fût faite, afin qu'ils pussent se joindre à eux et les aider. Mais ils persistèrent dans leur résolution, ils partirent à la rencontre des sauvages, se battirent pendant huit jours, un contre 20, contre 40, et déployèrent tant de courage et d'héroïsme que les bandes sauvages renoncèrent à leur entreprise et s'en retournèrent avec leurs morts dans leurs bourgades.

Aujourd'hui il n'y a qu'une voix pour célébrer l'héroïsme de ces jeunes gens, pour proclamer qu'ils sauvèrent la colonie à son berceau, et que s'ils avaient attendu, les sauvages auraient eu le temps de faire des ravages et des massacres funestes.

Notre histoire est remplie de ces imprudences commises par des hommes qui bravant, tous les dangers et n'écoutant que leur courage, leur dévouement, ne comptaient jamais le nombre de leurs ennemis et entreprenaient les expéditions les plus hardies, les plus téméraires en apparence. On ne croit jamais faire trop pour honorer la mémoire de ces hommes, parce qu'on les juge par les motifs qui les animaient, par les résultats qu'ils ont obtenus. Eh bien, c'est ainsi qu'il faut juger les patriotes ; leurs nobles motifs sont bien connus, l'histoire nous les apprend, et ils nous les font connaître, eux-mêmes, dans les lettres admirables qu'ils nous ont laissées avant de mourir, dans leurs testaments politiques que personne ne peut lire sans être profondément ému. « Je meurs, a dit de Lorimier, sans remords ; je ne désirais que le bien de mon pays dans l'insurrection et l'indépendance, mes vues et mes actions étaient sincères.

« Ma patrie ! À ma patrie j'offre mon sang comme le plus grand et le dernier des sacrifices ; vous verrez des jours meilleurs. »

De Lorimier a été l'interprète fidèle des sentiments de ses compagnons d'infortune, de ceux qui moururent sur l'échafaud ou sur les champs de bataille, de ceux qui furent condamnés à un exil cruel ou emprisonnés. Oui, c'est vrai, ils n'avaient d'autre motif, d'autre but que le *bien de leur pays* ; leur seul mobile était de procurer à leurs compatriotes la liberté politique, le respect de leurs droits, de leur nationalité. Les bienfaits de la liberté dont nous jouissons sont le résultat de leur mort, le fruit de leur supplice, de leurs souffrances.

Ils ont exprimé l'espoir que les Canadiens se souviendraient d'eux et reconnaîtraient la grandeur de leurs sacrifices ; c'était leur principale consolation, la pensée qui leur faisait supporter courageusement la mort horrible sur l'échafaud. Certes nous devons prouver qu'ils ont eu raison de compter sur la reconnaissance de leurs compatriotes. Un peuple qui n'a pas assez de cœur pour honorer ceux qui meurent pour lui, ne mérite pas de vivre.

Ultima verba

Plus je vieillis, plus j'observe ce qui se passe dans le monde, plus je me convaincs que la religion est nécessaire à l'homme, à l'individu comme à la société, pourvu que ce soit une religion vraie, éclairée, sincère, qui dirige leur conduite, leurs actions, éclaire la conscience, fortifie la vertu, purifie les cœurs, anoblit les motifs, inspire la charité et l'amour du prochain, et fait de l'homme un bon père de famille, un bon citoyen.

J'ai connu des hommes qui sans être des croyants ou des chrétiens pratiquants, n'en étaient pas moins estimables, doués des plus belles qualités du cœur et de l'esprit, faisant le bien, bons à leur famille, à leurs semblables, ayant le sens de l'honneur et du devoir, de la dignité personnelle, remplissant fidèlement leurs devoirs de citoyens. La nature les avait faits bons, vertueux, leur tempérament les protégeait contre les passions violentes, les entraînements dangereux et les portait à haïr tout ce qui était vil et grossier. C'étaient des natures d'élite, des exceptions intéressantes d'après lesquelles on ne peut juger la généralité des hommes.

J'ai connu d'autres hommes qui, à ces vertus naturelles joignaient une religion sincère, solide et pratiquaient ce qu'ils croyaient. Vraiment je dois avouer qu'ils étaient plus parfaits, plus capables de résister à toutes les séductions, de supporter la souffrance, l'ingratitude et l'injustice, de sacrifier leur intérêt personnel au succès d'une bonne œuvre, au bien de la société, de pratiquer humblement et discrètement les vertus, les dévouements obscurs. Je ne veux pas dire que ces hommes ne peuvent pas parfois payer tribut à la faiblesse humaine et commettre des actes condamnables, mais ils se hâtent de se reprendre, de se remettre dans la bonne voie et de réparer le mal qu'ils ont pu faire.

Malheureusement, il est des hommes dont les passions sont plus fortes que les croyances, qui donnent prise à la critique, à des comparaisons regrettables, et il y a les hypocrites, les ambitieux et les intrigants, pour qui la religion est un manteau, un paravent, un moyen de parvenir à leurs fins, à des fins plus ou moins honorables.

Toutefois, il n'en est pas moins vrai que dans la vie privée ou publique, une religion franche et sincère offre plus de garantie de sagesse, de probité, de vertu que la libre-pensée ou le scepticisme religieux, et que le monde, comme vient de le proclamer, quelques jours avant sa mort, le président des États-Unis, n'en a jamais eu un besoin plus pressant.

Au milieu des maux, des désastres et des crimes qui affligent l'humanité, à la vue du déchaînement de toutes les passions, de tous les mauvais appétits, du mépris de toute autorité, de toute supériorité, des abus de la richesse et des jalousies, des haines qu'ils provoquent, à la vue de ces masses agitées qui partout arborent le drapeau de la révolte et menacent de bouleverser les fondements de la société, les chefs du monde spirituel et temporel proclament que la religion seule peut rendre la paix et le bonheur à la terre, produire la réaction dont elle a tant besoin.

Mais quand se fera cette bienfaisante réaction ?

Lorsque le bolchevisme aura parcouru le monde avec son cortège de misères, de crimes et de désastres ; lorsque l'humanité épuisée, saignée à blanc, verra le néant des doctrines de la démagogie ; lorsque riches et pauvres, grands et petits, capitalistes et prolétaires, savants et ignorants seront convaincus de la nécessité d'avoir recours aux enseignements du Christ et de les mettre en pratique, l'humanité purifiée, régénérée pourra alors pendant quelque temps poursuivre dans la paix ses émouvantes et mystérieuses destinées.

À ceux qui sont tentés de m'accuser d'exagération, de pessimisme, je poserai la question suivante. N'est-il pas vrai que les hommes d'État ont toutes les peines du monde à empêcher une autre grande guerre, et à refouler les flots de la révolution qui partout menacent d'envahir la terre ? Combien de temps réussiront-ils à préserver la société des maux et des malheurs qu'elle redoute avec raison ? Souhaitons que l'ère des épreuves et des souffrances ne soit pas aussi longue, et aussi néfaste qu'elle promet de l'être, et que l'humanité cherche le plus tôt possible son salut dans l'application des principes fondamentaux du christianisme.

Milton Keynes UK
Ingram Content Group UK Ltd.
UKHW032306020823
426203UK00011B/463